24 de Febrero de 1895:

UN PROGRAMA VIGENTE

COLECCIÓN CUBA Y SUS JUECES

EDICIONES UNIVERSAL, Miami, Florida, 1995

Jorge Castellanos

24 de Febrero de 1895:

UN PROGRAMA VIGENTE

P. O. Box 450353 (Shenandoah Station)
Miami, Florida 33245-0353, U.S.A.

Primera Edición 1995
EDICIONES UNIVERSAL
P. O. Box 450353
Shenandoah Station
Miami, Florida 33245-0353 USA
Teléfono: (305) 642-3234
Fax: (305) 642-7978

Library of Congress Catalog Card Number: 94-72429

ISBN: 0-89729-752-0

Portada: Eduardo Laplante, *Ingenio Güinía de Soto*

A la memoria de mis abuelos,
Manuel Castellanos Castillo y
Antonia Castillo de Castellanos
y la de mi padre
Rafael Arturo Castellanos,
mambises.
Y a la memoria de mi madre,
Albertina Taquechel de Castellanos,
que, como ellos, tanto amó a Cuba.

NOTA PREVIA

Al cumplirse el primer centenario del 24 de febrero de 1895, día en que comenzó la Guerra de Independencia en Cuba, procede meditar sobre los antecedentes, el desarrollo y las proyecciones de ese momento epocal. Eso pretendemos hacer aquí.

Algunos de estos ensayos fueron publicados previamente en libros, folletos y revistas. Y casi todos han sido sometidos ahora a un proceso de revisión y actualización. Otros han sido escritos expresamente para este tomo. La tarea nos ha conducido a una percepción inescapable de la vigencia de esta fecha.

Mezcla de dolorosas frustraciones y encendidas esperanzas, el saldo histórico del 24 de febrero nos obliga a considerar en lo esencial a ese instante ilustre no ya como una memoria del ayer sino como una activa realidad presente y una viable promesa de futuro, a cuya realización deben sentirse obligados todos los cubanos de buena voluntad.

LA FECHA

EL 24 DE FEBRERO DE 1895

El alzamiento

Desde el instante mismo en que Cuba se levantó en armas contra la dominación española, el 24 de febrero de 1895, brotó la apasionada polémica. ¿A quién corresponde la gloria de la primacía? ¿Cuál de los rincones insurgentes merece darle nombre al *Grito*? ¿Baire? ¿Jiguaní? ¿Bayate? ¿Ibarra? ¿Guantánamo?

Para buscar posición propia en la enconada disputa habrá que mover la cámara y enfocar retrospectivamente, uno a uno, los acontecimientos mayores de esa fecha.

Baire y Jiguaní, primero:

La mañana del 24 encontró ya gente alzada en todo el término jiguanicero. Un grupo mandado por Cutiño Zamora, en la finca "La Ceiba", acaba por unirse con el que se pronunció en "Santa Cruz", siguiendo a José Reyes Arencibia. Y juntos atraviesan el pueblo de Jiguaní para dar en el parque de la villa gritos a Cuba Libre bajo el estampido de las tercerolas y las escopetas de caza. Por fin, parten para Baire.

Mientras tanto, los hermanos Lora reunen su contingente en "La Veguita". Después de juntarse con un grupo de Pueblo Nuevo y con otro mandado por Juan Joaquín Urbina en el Camino de Los Negros, sus fuerzas se elevan a más de trescientos hombres. Apenas abandonada la finca "Las Yeguas" tropiezan con la gente de Florencio Salcedo. Juntos marchan todos hacia Baire. Bien entrada la tarde, la caballería mambisa penetra en la villa ya marcada definitivamente para la Historia. Salcedo se dirige a la valla de gallos. Interrumpe las peleas. Afírmase que dijo: "Terminaron las peleas entre brutos. Comienza la pelea de los hombres por la libertad."

Poco después, congregados todos los sublevados en la Plaza de Armas de Baire, Saturnino Lora declaró rotas las hostilidades con España mientras descargaba al aire su revólver. La enorme masa combatiente allí reunida respondió con el mismo grito que antes había resonado en el Parque de Jiguaní:

-¡*Viva Cuba Libre*! [1]

Minutos más tarde se unían a los de Baire los patriotas Reyes y Cutiño. La Revolución estaba asegurada en el centro de la provincia oriental.

Continuemos con lo de Ibarra:

---

[1] Que lo de Baire fue un grito independentista y no autonomista -como han afirmado algunos autores- ha sido probado fehacientemente por el Capitán del Ejército Libertador Aníbal Escalante Beatón en su obra *Calixto García: Datos Inéditos del 95*, La Habana, 1946, pp. 603 y ss.

Procedentes de La Habana, desde el 23 de febrero andaban en preparativos de alzamiento por la provincia de Matanzas, el agente personal de Martí en Cuba, Juan Gualberto Gómez, Juan Tranquilino Latapier, Antonio López Coloma y otros, habiéndose refugiado, por fin, en el Central "La Ignacia".

Los acontecimientos del día siguiente han sido relatados por el propio Juan Gualberto en los siguientes términos: "Poco antes de las seis de la mañana me despertó López Coloma, diciéndome en voz baja que tenía algo grave que comunicarme. Llevándome a un extremo de la habitación, me manifestó que acababa de recibir recado del Jefe de Estación de Ibarra. Eso significaba que estábamos descubiertos y que venían a sorprendernos. Convinimos en no esperar más, y a esa hora, dándonos gran prisa, ensillamos los caballos que teníamos a mano y cargando cada uno con tres rifles y seiscientos tiros, nos alzamos en son de guerra."[2] Casi a la vista de las tropas españolas, Gómez, López Coloma, Latapier y nueve hombres más se lanzaron a la manigua. Perseguidos con saña, fueron cercados en el Cuartel de Santa Elena, "reducido manigual situado cerca del batey del ingenio del mismo nombre", y tras un encuentro que tuvo lugar el 28 por la tarde, dispersados y posteriormente capturados por el enemigo.

Sigamos con lo de Bayate (en el término municipal de Manzanillo):

---

[2] Ver a este respecto: Juan Gualberto Gómez, "El Alzamiento de Ibarra", en *Letras* (28 de febrero de 1906); Miguel F. Viondi, "Recuerdos de la Cabaña", en *El Fígaro*, (febrero de 1899); Juan Tranquilino Latapier, "Por la Verdad Histórica: 24 de febrero", en *La Opinión*, (24 de febrero de 1914).

Desde el 22 de febrero salió Bartolomé Masó de Manzanillo. Emitió órdenes a Amador Guerra y a Enrique Céspedes para que dieran el grito de guerra en Calicito. Y a la vez mandó prácticos a Celedonio Rodríguez, Dimas Zamora, Pascual Mendoza, Lorenzo Vega, Vicente Pérez y otros para que se le unieran en su cuartel general, establecido en Bayate, desde el día 23.

Según un extracto del Diario de Operaciones de Masó, escrito por su secretario Manuel Estrada y Estrada: "El General Masó quería que el movimiento fuera unánime en toda la Isla, con el fin de no comprometerlo. El, entretanto, haría una combinación valiosísima, para dar un golpe de muerte a la ciudad de Manzanillo; al efecto reunía poco a poco, como iban llegando, gente desarmada, por lo que se presentaba el asunto demasiado peligroso y hasta inútil, pues en la ciudad había bastante tropa española y bien parqueada, con que defenderse; mas como a las dos o las tres de la tarde recibió un telegrama de Juan Gualberto Gómez, que leyeron Celedonio Rodríguez, Miró, que ya estaba enterado, y Dimas Zamora, donde decía que estaba dispuesto para el 24. Esto acabó de resolver a los patriotas decidiendo el alzamiento. Miró salió en seguida para Holguín a levantar aquella jurisdicción."[3] En Bayate, el mismo día 24 de febrero, Masó lanzó una proclama anunciando el inicio de la guerra contra España. Mientras tanto, cerca de Bayamo hacía lo propio Esteban Tamayo, y en Veguitas daba el grito Masó Parra.[4]

Veamos ahora lo de Guantánamo:

---

[3] Vidal Morales y Morales, *Iniciadores y Primeros Mártires de la Revolución Cubana*, La Habana, 1901, pp. 528 y ss.

[4] José Miró Argenter, *Cuba: Crónicas de la Guerra*, La Habana, 1942, vol. 1, pp. 44-45.

Desde octubre de 1894 andaba por el monte, llevando una vida errante de privaciones y sobresaltos, perseguido por las guerrillas españolas, el general Pedro Agustín ("Periquito") Pérez. El 17 de febrero de 1895 recibió orden de Moncada, quien a su vez la tenía de Juan Gualberto Gómez, para la sublevación. Inmediatamente la transmitió a sus subalternos.

Regino E. Boti, en su obra *El 24 de febrero de 1895*, relata así los acontecimientos del 24 en la región guantanamera: "Como a las nueve, reunidos en su casa de Matabajo, Periquito Pérez, su yerno José Francisco Pérez, su cuñado Francisco Castillo y otros familiares de ellos, juraron hacerle la guerra a España y salir desde ese instante a la contienda. Coetáneamente en "La Confianza", Emilio Giro comenzaba a levantar un acta que contenía testimonio de la declaración y comienzo de la guerra... El acta quedó firmada por la tarde. La suscribieron 28 personas, que son a saber: Pedro Agustín Pérez y once más del campo y 16 de la villa. Entretanto, y como a las tres de la tarde, el luego graduado coronel Enrique Tudela, por orden de Periquito Pérez... llegaba frente al fuerte de Hatibonico, el que debía tomar simultáneamente con los del El Toro y El Cuero." [5]

El fuerte de Hatibonico fue tomado. El enemigo sufrió dos muertos, tres heridos y la baja de un prisionero. A las cinco de la tarde Tudela atacó el fuerte de El Toro. La guarnición, sobre aviso, se defendió bravamente. Tras hacer algunos heridos, las fuerzas cubanas se retiraron. Por otra parte, a las seis pasado meridiano, Enrique Brooks y Pedro Ramos se pronunciaron en el ingenio Santa Cecilia. Y en San Andrés de Vínculo (también en la región de Guantána-

---

[5] Regino E. Boti, "El 24 de febrero de 1895", en *Anales de la Academia de la Historia*, vol. 4, núm. 1, Enero-Junio de 1922.

mo) Evaristo Lugo y Prudencio Martínez secundaban el movimiento. En los días que siguieron, los mambises guantanameros dieron pruebas numerosas de ardor bélico y gran combatividad.

Pasemos, en fin, a lo de Santiago de Cuba:

En estricto cumplimiento de las instrucciones del general Guillermo ("Guillermón") Moncada, el 24 de febrero por la tarde salieron de la capital de Oriente, capitaneando un grupo de patriotas, varios jefes subalternos. El coronel Victoriano Garzón se dirigió inmediatamente al término de El Caney. El teniente coronel Quintín Banderas tomó rumbo a San Luis. Y el coronel Alfonso Goulet, acompañado del delegado del Partido Revolucionario Cubano en Oriente, licenciado Rafael Portuondo Tamayo, partió para El Cobre.

Moncada, por su parte, a pesar de encontrarse gravemente enfermo -murió poco después, el 5 de abril del 95- prudentemente abandonó Santiago de Cuba días antes, no sin dejar las órdenes de alamiento a sus subordinados. "Guillermón" esperó la alborada del 24 de febrero en las montañas que cercan la ciudad. Por la tarde ya había establecido su Cuartel General en la loma La Lombriz, barrio de Jarahueca, municipio de Alto Songo.

Estos son los momentos mayores. Pero el 24 de febrero resonó en muchos otros rincones de la manigua cubana: en Holguín, en Bayamo, en Jagüey Grande, en Aguada de Pasajeros, en Vega Alta, en Vueltas, en Santa Cruz del Sur, en Nuevitas, en Central Senado, Central Lugareño, Puerto Príncipe, Seborucal de la Mocha, Güira, Alquízar, San Antonio, Las Vegas de la Ceniza, San Juan y Martínez... La guerra contra España ardía desde Oriente hasta Occidente.

Y ahora podemos volver a las preguntas: ¿Baire? ¿Jiguaní? ¿Ibarra? ¿Guantánamo? ¿Bayate? ¿Santiago de Cuba? El localismo debe rendirse ante la evidencia histórica. Lo del 24 de febrero de 1895 fue -ésta es mi opinión- *el Grito de Cuba* . El grito de Martí, de Maceo, de Gómez, de "Guillermón", de Juan Gualberto, de Masó, de "Periquito" Pérez, de Lora, de las emigraciones revolucionarias, de los tabaqueros de Tampa y Cayo Hueso, de los campesinos, de los artesanos, de los obreros, de los hombres de letras que se echaron a la manigua; de la nación entera que se alzaba contra la esclavitud y la explotación de la metrópoli extranjera.

No por simple casualidad la guerra estalló simultáneamente en regiones tan distantes unas de otras. La guerra se venía preparando afuera y adentro del país desde hacía mucho tiempo. La orden de alzamiento se produjo a fines de enero de 1895. Estaba autorizada por las firmas de José Martí, Delegado del Partido Revolucionario Cubano; de José María (Mayía) Rodríguez, representante del Mayor General Máximo Gómez y de Enrique Collazo, enviado de la Junta Revolucionaria de La Habana. Ese documento recomendaba que el "grito" inicial reuniera dos características fundamentales: 1) que se pronunciara "con la mayor simultaneidad posible"; y 2) que se hiciese "durante la segunda quincena y no antes, del mes de febrero." [6]

Un día llega a La Habana Miguel Angel Duque de Estrada, procedente de Tampa. Trae un tabaco en el que viene envuelta la orden de levantamiento dirigida a Juan Gual-

---

[6] Véase la orden de levantamiento en el Vol. 8 de las *Obras Completas* de José Martí, editadas por Gonzalo de Quesada y Miranda, La Habana, 1937, pp. 97-98.

berto Gómez. En casa de Antonio López Coloma, Trocadero 74 y medio, se reunieron en seguida los miembros de la Delegación Revolucionaria de la Habana. Se acordó escoger el 24 de febrero como fecha del alzamiento. Juan Gualberto Gómez explicó años después por qué:

"Esa fecha -dijo- estaba recomendada por dos motivos: caer en el último domingo del mes, y ser el primer día de los carnavales. Lo primero, daba la ventaja de que los emisarios podían ir (a los lugares donde se hallaban los principales líderes de los grupos que habrían de alzarse) y regresar con sus respuestas, a tiempo para avisar a Nueva York; y lo segundo, permitía que en los lugares de campo se pudiera reunir y por los caminos transitar a caballo, la gente en pequeños grupos, sin llamar la atención, por ser explicable que en un día de fiesta señalada, esas reuniones y esos tránsitos se realizasen." [7] Efectivamente, las instrucciones fueron transmitidas y la fecha fue aceptada por los conspiradores de las regiones orientales.

Como puede apreciarse, ninguno de los grupos que se alzaron el 24 de febrero de 1895 lo hizo por inspiración propia sino obedeciendo órdenes superiores. Es un movimiento organizado lo que estalla el 24 de febrero. Es una guerra vertebrada, con dirección y mando centralizados, la que se inicia con los "gritos" que hemos reseñado esquemáticamente. [8]

---

[7] Fernando Portuondo, *Curso de Historia de Cuba*, La Habana, 1945, pp. 533-534.

[8] Cada movimiento político posee su peculiar retórica. La del 95 respondía al impulso romántico, ya en plena declinación por entonces en la literatura, pero todavía vigente como modelo existencial en el terreno de la conspiración revolucionaria. Véase, en relación con este tema, el ensayo

La gloria, por eso, no debe monopolizarla nadie. Es de todos los que trabajaron para que, en ese día histórico, Cuba proclamara su voluntad de independencia y, obligada por la obstinación del gobierno español, se echara al campo a conquistarla como decía Maceo que tales bienes -cuando no hay otro camino- se conquistan: "con el filo del machete".

Contraste entre dos revoluciones.

Es el 95 hijo legítimo del 68. Pero estos dos movimientos revolucionarios exhiben diferencias importantes. Por algo están separados por ese hiato de diecisiete años que Martí calificó de "tregua fecunda". Las fuerzas económicas en que se apoyan, los sectores sociales que representan sus dirigentes, son distintas, aunque ambos tengan idéntico objetivo: lograr la independencia de Cuba del yugo colonial español.

En 1868, inician y dirigen la guerra representativos de la burguesía criolla, de los grandes propietarios y hacendados. En 1895 los dirigentes de la insurrección son típicos representantes de las clases medias, de los antiguos propietarios arruinados por la guerra, de los campesinos y pequeños terratenientes, de los trabajadores e intelectuales de reducidos recursos. Una imponente masa de testimonios históricos viene a comprobar estos asertos.

Martí supo calibrar este contraste cuando hablando del 10 de octubre dijo: "Esto fue lo singular y sublime de la guerra de Cuba; que los ricos que en todas partes se le opo-

---

sobre Máximo Gómez, más adelante en este volumen.

nen, en Cuba la hicieron." [9] Y Enrique José Varona lo advirtió también al postular que la clase rectora de la Guerra de los Diez Años fue la de los terratenientes refiriéndose a ella con estas palabras: "Clase numerosa, sólidamente arraigada al suelo, rica, culta, morigerada, de extraordinaria influencia... cuyo núcleo lo componían las familias descendientes de los antiguos pobladores"; clase que "por todos los elementos de su composición ofrecía las mejores condiciones para ser un sólido punto de apoyo social, a la par resistente y plástica lo bastante, para permitir las sucesivas adaptaciones demandadas por un mundo en plena transformación económica y política." [10]

En el movimiento liberador de 1868 participan varios estratos de la sociedad cubana. Grandes masas de campesinos blancos, negros y mulatos se incorporan en seguida, al igual que muchos esclavos manumitidos por sus amos o viviendo en la cimarronería de sus palenques. Intervienen también elementos de la clase obrera entonces embrionaria y con fuerte sello artesanal, pero alerta ya a los intereses generales del país. (Dos de los primeros ajusticiados en La Habana por hacer labor independentista fueron dos tabaqueros: Francisco León y Agustín Medina, operarios de una fábrica situada en la calle Figuras. Ambos murieron valientemente en el garrote el 9 de abril de 1869. A León le permitieron hablar y pronunció un encendido discurso que terminó con

---

[9] En su célebre artículo "El Plato de Lentejas" afirma Martí, refiriéndose a la Guerra Grande: "La revolución *hecha por los dueños de esclavos* declaró libres a los esclavos." (Ver *Obras Completas* de José Martí, ya citadas. Vol. 6, La Habana, 1937, p. 42.)

[10] Enrique José Varona, Prefacio a *Hombres del 68: Rafael Morales y González*, por Vidal Morales y Morales, La Habana, 1904, p. VI.

vivas a la indepedencia de Cuba y a Carlos Manuel de Céspedes. Otro hecho significativo fue que en el decreto represivo del General Dulce, dictado el 12 de febrero de 1869, se considera como *infidencia*, es decir como grave delito contra España, no sólo la insurrección, la conspiración y la sedición sino también "las coaliciones y ligas de jornaleros y trabajadores.")

No hay duda alguna, sin embargo, de que a la cabeza de todos los elementos alzados contra España en 1868 y 1869 se encuentra lo que pudiéramos llamar el ala izquierda de la burguesía cubana que, tras el fracaso, en 1866, de la Junta de Información y, por ende, del Reformismo, no veía más salida para su situación que la ruptura radical de los vínculos políticos con España. Como ha dicho Sergio Aguirre: "La sublevación de Céspedes el 10 de octubre es el gesto de una burguesía exasperada por la reaccionaria estupidez del gobierno metropolitano. Al capitanear el movimiento del 68 se juega parte de la burguesía cubana a una sola carta su destino futuro. A ese gesto ligan su suerte las demás capas sociales del país." [11]

Esta hegemonía es evidente. Carlos Manuel de Céspedes, primer Presidente de la República en Armas, era dueño del ingenio "La Demajagua". Pedro Figueredo, autor del Himno Nacional, era propietario del ingenio "Las Mangas". Francisco Vicente Aguilera, a más de extensas fincas e innumerables cabezas de ganado, poseía varias fábricas de azúcar. Jaime Santiesteban, alzado en La Demajagua era dueño del ingenio "Rosario". Rico abogado era Pedro Maceo Osorio. Ricos terratenientes Bartolomé Masó, Donato Mármol, Manuel Calvar, Julio y Belisario Grave de Peralta. Ignacio Agra-

---

[11] *Cuadernos de Historia de Cuba*, I, La Habana, 1944. p. 42.

monte y su primo Eduardo pertenecían a una familia de muy subida posición económica y social de Camagüey. El padre del Bayardo, abogado riquísimo, había sido Regidor. Salvador Cisneros Betancourt, Marqués de Santa Lucía, era una de las personas más acaudaladas de Puerto Príncipe, donde había actuado como Alcalde en 1862 y 1863. Hombre acomodado era también Miguel Jerónimo Gutiérrez, jefe de los sublevados de las Villas. Rico hacendado, el primer General en Jefe de la revolución villareña, Joaquín Morales. Miguel Aldama -que tras algunas vacilaciones abrazó la causa independentista- encabezaba una de las familias de mayor fortuna de Cuba. Abogado de enorme clientela, gran influencia en toda la Isla y no escasa riqueza personal fue José Morales Lemus. La lista pudiera extenderse y extenderse...

Digamos, de una vez por todas, que sería ridículo ver en este análisis objetivo de la realidad histórica un esfuerzo por recortar la estatura patriótica de estos líderes. Lo económico es un factor determinante de la historia. Pero dista mucho de ser un factor *único*. Y muchas veces tampoco es el preponderante. En las decisiones epocales de la burguesía en 1868 influyeron la crisis económica mundial que se reflejó por aquel entonces en el país, el aumento de los impuestos que acentuó la grave situación financiera de los hacendados, el terror brutal desatado por Lersundi. Pero hay que tomar en cuenta otros factores de importancia capital, como por ejemplo, el amor de estos hombres a su tierra nativa, a nuestras tradiciones de lucha por la libertad y el progreso; su odio implacable a la tiranía, a las arbitrariedades y atropellos de una metrópoli retrasada e insaciable; su recio, ardoroso, inflamado patriotismo que los llevó a sacrificarlo todo por Cuba: hogar, riqueza, comodidad, la propia vida...

Pese a lo que llevamos expuesto, resultaría erróneo afirmar que la burguesía cubana se alzó en pleno contra España a fines de 1868 y comienzos de 1869. Suscribimos la afirmación de Aguirre, contenida en el párrafo anteriormente citado: "Al capitanear el movimiento del 68 se juega PARTE de la burguesía cubana a una sola carta su destino futuro." *Una parte... ¿Cuál? Veamos...*

Como hemos probado, en las cinco jurisdicciones de la porción occidental de Oriente (Jiguaní, Bayamo, Manzanillo, Tunas, Holguín) buen número de terratenientes, hacendados y ganaderos ricos se levantaron en armas. Sin embargo, en las jurisdicciones de Santiago de Cuba y de Guantánamo, que eran por aquel entonces los de producción más industrializada en la provincia oriental, la abrumadora mayoría de los hacendados azucareros y terratenientes cafetaleros reaccionaron violentamente contra la sublevación y prestaron amplia ayuda al gobierno español para tratar de sofocarla.

La explicación de este hecho se halla en la distinta configuración social de ambas regiones. Mientras en las cinco jurisdicciones del oeste de Oriente los esclavos sólo alcanzaban a un siete por ciento de la población total, en Santiago el tanto por ciento de esclavos se elevaba a 34 y en Guantánamo al 44, casi tanto como Matanzas, donde el 46.8 por ciento de la población era esclava. El temor de la burguesía cubana a un alzamiento de esclavos superaba en Santiago y Guantánamo al descontento de la mayoría de sus miembros con el régimen colonial español, paralizando toda acción patriótica y revolucionaria.

En Camagüey la revolución sufrió en sus albores las vacilaciones de su primer general en jefe, el rico hacendado Napoleón Arango, quien entró en tratos con Valmaseda y tuvo que ser destituido por los patriotas camagüeyanos en la reunión de Las Minas, el 26 de noviembre de 1868.

En Las Villas, que se incorporaron al movimiento revolucionario en febrero de 1869, el temor a una insurrección de los negros hizo también sentir sus efectos paralizadores, como veremos más adelante.

En las tres provincias occidentales, el elevado tanto por ciento de esclavos pesó como una losa sobre la voluntad de la burguesía criolla. Ya desde 1895 lo veía con claridad meridiana Manuel de la Cruz, cuando afirmaba: "Ese hecho único -el miedo a los negros- explica por qué la isla de Cuba no se emancipó al mismo tiempo que Colombia y Méjico, y por qué el separatismo no fue franco, resuelto y unánime hasta el año 1868. La revolución de Yara tuvo su cuna en Oriente por muchas causas, pero principalmente porque allí se amaba y no se temía al negro; repercutió después en Camagüey porque en el centro el negro era un hombre y no una cosa; halló eco cuatro meses después del 10 de octubre, en Las Villas, porque en ellas era menor el miedo al negro, y no halló simpatías en Occidente porque allí el negro era el coco de los hombres y el blanco de todos los odios." [12]

Por su parte Ramiro Guerra nos dice a este respecto: "La clase terrateniente cubana de la parte occidental de la Isla... se oponía resueltamente a todo intento revolucionario. El peligro que envolvía la sublevación de los esclavos dominaba sobre toda otra consideración. En la expulsión de España por medio de golpes de mano anexionistas, infligidos por norteamericanos del Sur de los Estados Unidos, podían pensar los más exaltados en ciertos años de mayor temor o des-

---

[12] Manuel de la Cruz, *Estudios Históricos*, (Obras de Manuel de la Cruz, vol. VII), La Habana-Madrid, 1926, p. 26.

24

contento. En revoluciones separatistas, no. El anexionismo y el reformismo se explican en el oeste de Cuba por la composición de la población y el alto por ciento de los esclavos. Estos representaban no sólo un gravísimo peligro negro. *(sic)* Eran la base casi única de la economía en Matanzas, Habana y Pinar del Río. Al convertirse al separatismo una parte considerable de los terratenientes cubanos de las tres provincias occidentales en 1866, dispusiéronse a emigrar a Estados Unidos al verse amenazados de muerte por los voluntarios; pero no hubo hacendados que, como Céspedes, Aguilera, Pedro Figueredo y otros más de las cinco jurisdicciones occidentales de Oriente, se lanzasen a la revolución, declarasen libres a sus esclavos y los incorporasen al Ejército Libertador. Un proceder de tal naturaleza era prácticamente imposible que tuviera imitadores en el oeste cubano, en 1868." [13]

Y que no podía ser de otro modo nos lo confirman las cifras contenidas en este párrafo del trabajo de Mario Guiral Moreno, titulado *Cuba a Mediados del Siglo XIX*: "De acuerdo con las cifras de población correspondientes al año 1841... los 436.495 negros esclavos existentes en esta Isla por aquella época, tasados a un valor mínimo de $300, representaban un capital de $130.948.500 y veinte años después, en 1863, cuando el valor de cada esclavo había llegado a ser de $1.000, los 150.000 esclavos empleados en los cortes de caña y fabricación del azúcar representaban un capital de $150.000.000, dentro del total de $239.000.000 calculado como valor representativo, en conjunto, de la citada industria, incluyéndose en esta cifra, además del precio de las dotaciones, el de las tierras, construcciones, maquinarias, vehí-

---

[13] Ramiro Guerra, *Guerra de los Diez Años*, La Habana, 1950, Vol. I, p. 147.

culos de transporte, animales, etc.; de donde resulta que el valor exclusivo de los esclavos era casi las dos terceras partes de la cifra global en que se valuaba el capital representado por la industria azucarera." [14]

Todo esto nos permite comprender la actitud vacilante de lo que pudiéramos denominar "sectores de izquierda" de la burguesía habanera ante los acontecimientos de La Demajagua. Mientras Céspedes y los suyos se lanzaban al campo de la insurrección, no faltaban hacendados cubanos que en La Habana confiaran en la posibilidad de obtener concesiones de manos del nuevo gobierno español, encabezado por Serrano y Prim, que acababa de derrocar a Isabel II. El 24 de octubre de 1868 se entrevistaron los elementos liberales de la capital, dirigidos por José Manuel Mestre y José Morales Lemus, con el Capitán General Lersundi. Plantearon la necesidad de ajustar las realidades cubanas a los acontecimientos de la Península. Pidieron libertad de prensa y de reunión y el inicio de una política de moderación y justas reformas, de modo que la evolución pudiera realizarse "dentro del mayor orden", sin *trastornos* ni *peligros*. La respuesta de Lersundi fue brusca, casi brutal. Declaró abruptamente terminada la entrevista y tuvo un serio incidente con Morales Lemus cuando éste se le acercó para hacerle algunas explicaciones.

Estos hechos lanzaron al terreno de la conspiración a un grupo de hacendados habaneros. Pero la llegada del General Dulce, con su política de apaciguamiento, despertó

---

[14] Mario Guiral Moreno, *Cuba a Mediados del Siglo XIX*, en *Cuadernos de Historia Habanera*, número 44, La Habana, 1950, p. 31. Este cuaderno está dedicado a estudiar los "primeros movimientos revolucionarios del General Narciso López (1848-1849)".

nuevas esperanzas. Y todavía el 18 de enero de 1869 se celebraban reuniones en la lujosa residencia campestre que José Valdés Fauli, marqués de Pinar del Río, tenía en el Cerro, en búsqueda de "formulas" para fundir el partido peninsular "ilustrado y liberal" con los distintos "grupos cubanos" y elaborar un programa autonomista para presentárselo al general Dulce.

La bárbara represión desatada por los voluntarios de La Habana precisamente en esos días, despertó de sus sueños a los burgueses habaneros, hundiéndolos en la pesadilla de una tremenda realidad de violencia y de sangre. Los actos de vandalismo se sucedieron con rapidez. El 22 de enero tuvieron lugar los incidentes del teatro Villanueva. El 24, el asalto al café "Louvre". Y en seguida el saqueo del palacio de Aldama, las detenciones en masa de cubanos, los asesinatos en las calles, el terror de las turbas alcoholizadas y enardecidas por la propaganda de la prensa integrista, sobre todo del "Diario de la Marina" y de "La Voz de Cuba", el libelo de Gonzalo Castañón. Ante estas atrocidades, las familias pudientes cubanas iniciaron el éxodo. En su mayor parte se trasladaron a los Estados Unidos. Según Justo Zaragoza, por el puerto habanero embarcaron "mensualmente de dos mil a tres mil familias de más de cinco individuos cada una, en el tiempo transcurrido de febrero a septiembre de 1869; y pudiendo asegurarse que más de cien mil habitantes, o sea la dozaba parte de la población, abandonaron en aquel período sus hogares para vivir fuera de la Isla." [15] Fue el primer gran exilio masivo de nuestra historia.

---

[15] Justo Zaragoza, *Las Insurrecciones en Cuba*, Madrid, 1873, vol. II, p. 374.

Resumiendo: aunque no toda la burguesía nacional se sublevó contra España, no cabe la menor duda de que al frente de los campesinos, esclavos, profesionales, artesanos y trabajadores que se levantaron en armas por la liberación nacional en 1868 y 1869 se encontraban, como vanguardia y guía, los terratenientes, hacendados y ganaderos criollos: los Céspedes, Aguilera, Santiesteban, Figueredo, Masó, Cisneros Betancourt, Agramonte, Morales Lemus, Aldama, etc.

En el 95 la situación es completamente distinta. Nos lo pone en claro José Miró Argenter en sus *Crónicas de la Guerra*: "Las causas que dieron origen a la insurrección de 1895... no eran ya las mismas que medio siglo antes produjeron los primeros conatos de separatismo y la fuerte explosión de Yara en 1868. Los hombres de 1868 eran personas ilustres por su linaje y posición social, con influencia decisiva en el país, dueños de rico patrimonio, o letrados de fama aquellos que carecían de grandes bienes de fortuna... Pero los hombres que organizaron la nueva y eficaz revolución contra España, no reunían el brillo de las riquezas ni el mérito de la novedad." [16]

El desplazamiento de clases que se había producido del Zanjón a Baire, la ruina de gran número de burgueses criollos por la guerra y las confiscaciones, el traspaso de riquezas provocado por las transformaciones de la industria azucarera, el hecho de que en los primeros planos de la lucha independentista se encuentren en el 95 hombres de procedencia humilde como José Martí, Antonio Maceo, Máximo Gómez, Calixto García, Guillermo Moncada, Juan Gualberto Gómez, etc., el temor de las clases adineradas a los movi-

---

[16] José Miró Argenter, *Cuba: Crónicas de la Guerra*, La Habana, 1942, Vol. I, p. 35.

mientos revolucionarios, así como la extensión de los puntos de vista reformistas, antirrevolucionarios, del autonomismo, determinan que la burguesía nativa no participara *como clase* en la guerra del 95, y que por el contrario, hiciera cuanto estuvo a su alcance para hostilizarla, desde las filas del Partido Autonomista.

Prueba al canto: en una carta que el 14 de agosto de 1896 dirigiera Don Tomás Estrada Palma "al ciudadano Ignacio Agramonte" -pseudónimo que usaba en aquel entonces la acaudalada patriota Marta Abreu- leemos: "Veo con el alma llena de intensa gratitud a nombre del pueblo cubano, que usted está siempre a la altura de las necesidades de la patria. La comunidad de acción en estos momentos supremos es el triunfo breve de las armas libertadoras; ¡ojalá pudieran inspirarse en sus patrióticos y nobles sentimientos los cubanos que están en condiciones de imitar de un modo positivo la espléndida generosidad de usted! Desgraciadamente, si son muchos los que pueden, pocos son los que tienen el alma grande para ponerse al nivel de las circunstancias; y es el hecho tanto más sensible cuanto que las masas de jornaleros, hombres que viven al día con su trabajo personal, les dan un hermoso ejemplo de abnegación y desprendimiento, mermando el pan de sus hijos, privando de comodidades a la mujer y sujetándose ellos mismos a duras privaciones, a fin de ofrecer en el altar de la Patria, semana tras semana, mes tras mes, y año tras año, la dádiva espontánea de su ardiente patriotismo. Estos obreros de grandeza inconmensurable por su amor a Cuba, intenso y desinteresado, se perderán mañana en las olas de la multitud en donde quedarán confundidos con todos los que constituyen la masa de un pueblo, y mientras ellos que fueron factor muy importante en la obra de redención de su pueblo, quedan adscriptos a las duras tareas del jornalero, los que hoy esquivan el cumplimiento de los deberes que les impone la patria ensangrentada, o responden con desdén a los que tratan de recordárselos, serán los más conspicuos en la nueva sociedad levantada sobre cimientos que se amasaron en su mayor parte con la sangre y con el sudor de los pobres." [17]

Esta opinión del hombre que tenía a su cargo el manejo de los fondos de la insurrección en el extranjero, del Delegado del Partido Revolucionario Cubano, puesto que le permitía tener sobre estos asuntos información de primerísima mano, es concluyente. Pero hay más.

En otra carta de Estrada Palma, dirigida el 26 de septiembre de 1896 al brigadier Miguel Betancourt, encontramos estos párrafos: "Los ingenios contenidos en la adjunta lista, hicieron la zafra pasada; la Delegación aquí no ha percibido un centavo por el impuesto que les correspondía... Es irritante que... los amos de los ingenios de la lista adjunta, hayan desafiado el poder de la República, hollando las disposiciones emanadas de nuestras autoridades y jactándose además en algunos casos, de haberlo hecho así... La señora Abreu y el señor Terry son los únicos propietarios cubanos que han abierto su caja para auxiliar la revolución sin condición alguna, ni aun la de que se les protejan sus propiedades." [18]

Por su parte el general Máximo Gómez en su *Diario de Campaña* deja constancia de la resistencia que encontró entre los ricos cuando solicitaba su ayuda para reiniciar la lucha después del Zanjón. Por ejemplo, en la anotacion co-

[17] *La Revolución del 95 según la Correspondencia de la Delegación Cubana de Nueva York*, La Habana, 1937, vol. V, p. 131.

[18] Ibidem, pp. 368-371.

rrespondiente al 1 de octubre de 1884 leemos: "Mi decepción ha sido tristísima porque sólo los cubanos pobres son los dispuestos al sacrificio. A los más pudientes les he pasado notas secretas para que apronten recursos y de más de 20 a quienes he interrogado, uno sólo contestó con 50 pesos; y dos, que no podían dar nada. El resto ha guardado silencio."[19]

En la anotación correspondiente al 1 de julio de 1885 encontramos: "Dicen que los cubanos pobres se están animando a dar algunos centavos -los ricos y poderosos dicen que esperan ver algo serio sin embargo de no aprontar recursos para poder hacer eso serio... Eso diz que dicen -lo que yo creo muy bien pues no se atreven a confesar que no quieren la revolución." [20]

Mucho después, el 15 de septiembre de 1894, el General Gómez apunta: "...Aunque algunos de los primeros hombres del 68 están dispuestos a prestar todo su apoyo, mucho del elemento acaudalado no lo está y no solamente deja de estarlo sino que lo rechaza y condena... Esta situación no cambiará porque ningún rico entrará nunca en la revolución y es necesario forzar la situación, precipitar el suceso." [21]

Gómez deja clara constancia, por el contrario, de la decisiva participación del hombre del pueblo en la empresa libertadora: "Por obra y gracia de la Revolución, el Ejército

---

[19] *Diario de Campaña del General Máximo Gómez*, La Habana, 1940, p. 183.

[20] Ibidem, p. 197.

[21] Ibidem, p. 278.

empezó a formarse para la guerra, a cada disparo de carabina vieja que apenas alcanzaba 400 metros, surgía de las filas del pueblo un batallón de hombres, pero desarmados... Las clases trabajadoras en el destierro le quitaban el pan a sus hijos y daban el dinero para que nos mandaran armas. Los ricos contribuyentes de sangre y dinero fueron -como acontece en las horas de grandes sacrificios para el bien y gloria de los pueblos- raras excepciones. Puede decirse que la última tabla de salvación para los combatientes lo fue siempre la chaveta del tabaquero... ¡Honor y gloria a esos heroicos hijos del pueblo cubano!" [22]

Tampoco falta, aunque con otro tono, el testimonio al respecto del Lugarteniente General Antonio Maceo. En una carta fechada el 19 de noviembre de 1896 y dirigida al coronel Federico Pérez Carbó puede leerse: "También me he enterado, con satisfacción, de la iniciativa que han tomado algunos compatriotas nuestros de arraigo y posición social, abriendo una suscripción a favor de nuestra causa, encabezada por Terry con la suma de 100 mil pesos. Ya era hora de que los hombres de capital se sintieran movidos en la fibra patriótica. Ese es el indicio seguro del éxito cercano de la Revolución que ven aproximarse los elementos conservadores, hasta hace poco remisos o desconfiados." [23]

Las esperanzas del General Maceo se vieron fallidas, pues otras fueron las realidades constatadas en la Asamblea de La Yaya (19-30 de septiembre de 1897). Con vista a los informes emitidos por el Consejo de Gobierno y por la Delegación en los Estados Unidos, esta magna reunión proclamó

---

[22] Ibidem, p. 434.

[23] Antonio Maceo, *Disciplina y Dignidad*, La Habana, 1936, pp. 93-94.

"que se desprende que la fuente más segura de ingreso que ha tenido y que probablemente tendrá en el porvenir (la revolución) es y será la contribución del 10 por ciento que voluntariamente se ha impuesto la clase pobre de nuestra emigración."[24] Y este mismo criterio aparece expuesto ante la Asamblea por Enrique Collazo, quien en un voto particular afirma: "Llama la atención un hecho sensible: mientras que las clases pobres continúan pagando puntualmente la contribución del 10 por ciento, las clases ricas permanecen indiferentes, sin acudir a llenar los empréstitos que se han tratado de realizar." [25]

Las pruebas son concluyentes: es indudable que la burguesía cubana se abstuvo de participar *como clase* en la Guerra de Independencia que se inició el 24 de febrero de 1895. Las patrióticas excepciones arriba señaladas no hacen sino confirmar la regla.

Tres grandes problemas cubanos

La dispar integración clasista de ambos movimientos explica muchas de las diferencias que saltan a la vista tan pronto se comparan los acontecimientos del 68 con los del 95. Dediquemos nuestra atención a tres de los más destacados: a) el curso de las operaciones básicas; b) el criterio con respecto a la población negra; c) la actitud con respecto a los Estados Unidos.

Desde muy temprano surge en el campo insurrecto la idea de que es preciso extender la guerra hasta los extremos

---

[24] *Cuadernos de Historia Habanera*, Núm. 29, La Habana, 1945, p. 55.

[25] Ibidem, id.

occidentales de la Isla para asegurar la derrota de España. Poco después del alzamiento de Las Villas, en 1869, tuvo lugar una importante reunión de la Junta Revolucionaria de esa provincia para acordar los planes de campaña. Allí, Eduardo Machado Gómez, con el apoyo del general Carlos Roloff, propuso lanzarse de inmediato con las fuerzas y armas disponibles sobre Matanzas, destruyendo sus grandes ingenios, dando libertad a los esclavos e incorporándolos al Ejército Libertador, y con este alud impresionante, mediante el incendio, la desolacion y el pánico, abrirse paso hasta las mismas puertas de La Habana. La mayoría de la Junta, guiándose por el criterio de Miguel Jerónimo Gutiérrez, rechazó el proyecto. Y el argumento decisivo en contra fue que "el inmediato desbordamiento de los negros ocasionaría tal vez males funestos a la causa de todos." El ingreso de los esclavos en las filas revolucionarias -se argumentaba- "había que considerarlo como un arma de doble filo a emplear con suma cautela y notable riesgo." [26]

Evidentemente, el temor de muchos hacendados a la libertad de los esclavos se interponía en los caminos de la independencia. Hoy resulta evidente que el plan Machado-Roloff hubiera cambiado por completo el curso de la guerra y que sólo las consideraciones políticas aludidas pudieron detenerlo, para mal de Cuba. [27]

---

[26] Francisco Ponte Domínguez, *La Idea Invasora y su Desarrollo Histórico*, La Habana, 1930, p. 23.

[27] Quien desee conocer algunos de los esfuerzos posteriores (todos fallidos) de Céspedes, Máximo Gómez y otros, por llevar la guerra a las provincias occidentales en la Guerra Grande, puede consultar la obra de Raúl Cepero Bonilla *Azúcar y Abolición*, Madrid, 1976, capítulo XIII.

En el 95, en cambio, el proyecto de invasión de Occidente constituye uno de los primeros acuerdos de la Revolución. En la entrevista de La Mejorana lo dejan establecido, en sus líneas generales, Martí, Maceo y Gómez. Y su objetivo queda claramente determinado: no sólo consiste en llevar la guerra al Oeste cubano, sino además impedir la zafra de 1895-1896 a toda costa, con el fin de hundir al Gobierno español en la ruina y el descrédito, forzándolo a reconocer la independencia de Cuba.

Sin vacilaciones de ningún género, el primero de julio de 1895, desde su Cuartel General de Najasa, el Generalísimo Máximo Gómez emite el bando que anuncia la paralización total de la molienda próxima. La experiencia de la guerra anterior era concluyente: el respetar la propiedad de los partidarios y sostenedores de España había conducido al desastre. La teoría de Gómez quedaba sintetizada en una gráfica frase: "Es preciso quemar la colmena para que se vaya el enjambre." Su orden se cumplió implacablemente. La tea dio cuenta de los cañaverales. Y cuando la Invasión se puso en marcha dejó atrás una estela de cenizas. Para comprender la magnitud de la obra bastará citar este dato: en un solo día, el 21 de diciembre de 1895, en la provincia de Matanzas fueron reducidos a pavesas los cañaverales de los ingenios Alava, Flora, Algorta, Reglita, Coloso, Unión, San Vicente, Diana, Angelita, Soledad, Armonía y La Chucha.

Y esta acción destructiva nunca perdió el sello inconfundible del patriotismo que la hacía necesaria. Aun más: Gómez, que contempló con profunda conmoción espiritual el efecto de su orden, que vio como desaparecían bajo las llamas y el humo las "casas palacios" de los hacendados, "todo aquel conjunto de producción, comodidades, de lujo y hasta de cultura", encontró sin embargo, plena justificación ética a su proceder. "Cuando llegué al fondo, -escribe- cuando puse mi mano en el corazón adolorido del pueblo trabajador y lo sentí herido de tristeza, cuando palpé al lado de toda aquella opulencia, alrededor de toda aquella asombrosa riqueza, tanta miseria material y tanta pobreza moral; cuando todo esto vi en la casa del colono, y me lo encontré embrutecido para ser engañado, con su mujer y sus hijos cubiertos de andrajos y viviendo en una pobre choza, plantada en tierra ajena; cuando pregunté por la escuela y se me contestó que no la había habido nunca, y cuando entramos en pueblos como Alquízar, Ceiba del Agua, El Caimito, Hoyo Colorado, Vereda Nueva, Tapaste y cincuenta más, no vi absolutamente nada que acusara ni cultura, ni aseo moral, ni pueblos limpios, ni riquezas limpias, ni vida acomodada, y nos recibían de brazo el Alcalde y el Cura; entonces yo me sentí indignado y profundamente predipuesto en contra de las clases elevadas del país, y en un instante de coraje, a la vista de tan marcado como triste y doloroso desequilibrio exclamé: ¡Bendita sea la tea!" [28] Tal vez en ninguna parte como en ese párrafo, respira el vigoroso espíritu populista de la Revolución del 95.

Si estudiamos las cifras de la producción azucarera cubana en los años comprendidos dentro de las dos guerras de independencia (1868 a 1878 y 1895 a 1898) veremos de qué modo se refleja en la realidad económica (y, en consecuencia, militar) del país la diferencia de hegemonía a que aludimos.

a) *Guerra de los Diez Años*: Predominio de los hacendados, temor al "alzamiento de los negros de Occidente", protección de la propiedad. Resultado: la producción azuca-

---

[28] Máximo Gómez, *Ideario Cubano*, Cuadernos de Historia Habanera, Núm. 7, La Habana, 1936, p. 70.

rera apenas se ve afectada, llega incluso a aumentar, para gozo y contento de la Metrópoli que contempla intacta su base económica y social. Prueba al canto: estas cifras de la producción azucarera en toneladas de 2.240 libras:

1868	749.000
1869	726.000
1870	736.000
1871	547.000
1872	690.000
1873	775.000
1874	681.000
1875	718.000
1876	590.000
1877	520.000
1878	533.000

b) *Guerra de Independencia*: Predominio de los sectores humildes, realización inmediata de la Invasión de Occidente, política de tea incendiaria, es decir, de "quema de la colmena para que se vaya el enjambre." Resultado: la produccion azucarera se hunde en seguida, para espanto de la Metrópoli, que ve arruinada y destruida su base económica y social. Prueba al canto: las siguientes cifras de producción de azúcar, ofrecidas en toneladas de 2.240 libras:

1894	1.054.214
1895	1.004.264
1896	225.221
1897	212.051
1898	305.543

Nadie puede discutir con estos números.

***

Muy marcadas son las diferencias que separan también la actitud de los dirigentes del 68 de la postura de los líderes del 95 en lo que se refiere al llamado "problema negro".

Como es sabido, al alzarse en La Demajagua contra España, Carlos Manuel de Céspedes dio libertad a sus esclavos y les abrió las puertas para que se incorporasen a las filas insurrectas. Sin embargo, en el Manifiesto del 10 de octubre, Céspedes alude al candente tema en forma harto conservadora: "*Deseamos* -dice- la emancipación gradual y bajo indemnización de la esclavitud." [29] Antes de entrar a explicar tan curiosa contradicción conviene tener a la vista los hechos básicos que se suceden impetuosamente alrededor de esta custión clave en los primeros meses del movimiento. El 28 de octubre de 1868 -según documento que cita Vidal Morales y Morales en su biografía de Rafael Morales y González ("Moralitos")-[30] los regidores de Bayamo, primer municipio libre de la Isla, acordaron por unanimidad la abolición inmediata y absoluta de la esclavitud. Pero el 12 de noviembre del mismo año, el Capitán General de la República en Armas, Carlos Manuel de Céspedes publicó un Bando disponiendo que se amparase a los hacendados en la posesión de todas sus propiedades, incluyendo en ellas los esclavos. En el Bando se decretaba que serían juzgados y castigados con pena de muerte "los soldados y jefes de las fuerzas republicanas que, faltando a su sagrada misión, incendiasen, robasen o estafa-

---

[29] Véase este llamamiento en Hortensia Pichardo, *Documentos para la Historia de Cuba*, La Habana, 1971, Vol. I, pp. 358-362. La frase citada aparece en la página 361.

[30] Vidal Morales y Morales, op. cit., p. 141.

sen a los ciudadanos pacíficos, así como los que se introdujesen en las fincas, ya sea para sublevar o ya para extraer sus dotaciones." [31]

El 27 de diciembre de 1868 Céspedes dicta un Decreto en el que, tras afirmar que la esclavitud era incompatible con el espíritu de la guerra emancipadora, se mantenía empero la institución hasta que el país pudiera por medio del sufragio decir su libre criterio sobre tan espinoso problema. A ese efecto se establece lo que sigue:

"Primero: Quedan declarados libres los esclavos que sus dueños presenten desde luego con ese objeto a los jefes militares, reservándose los propietarios que así lo deseasen el derecho a la indemnización que la nación decrete y con opción al tipo mayor que se fije para los que se emancipen más tarde.

"Segundo: Estos libertos serán por ahora utilizados en el servicio de la patria, de la manera que se resuelva.

"Tercero: A ese efecto se nombrará una Comisión que se haga cargo de darles empleo conveniente, conforme a un reglamento que se formará.

"Cuarto: Fuera del caso previsto se seguirá obrando con los esclavos de los cubanos leales a la causa, de los españoles y extranjeros neutrales, de acuerdo con el principio de respeto a la propiedad proclamado por la revolución.

"Quinto: Los esclavos de los que fueren convictos de ser enemigos de la patria y abiertamente contrarios a la revolución, serán confiscados con sus demás bienes y declarados libres sin derecho a indemnización utilizándolos en el servicio de la patria y en los términos ya prescriptos.

---

[31] Raúl Cepero Bonilla, op. cit., p. 108.

"Sexto: Para resolver respecto de la confiscación de bienes de que trata el artículo anterior se formará respectivo expediente en cada caso.

"Séptimo: Los propietarios que faciliten sus esclavos para el servicio de la revolución, sin darlos libres por ahora conservarán sus propiedades mientras no se resuelva sobre la esclavitud en general.

"Octavo: Serán declarados libres desde luego, los esclavos de los palenques que se presentaren a las autoridades cubanas, con derecho bien a vivir entre nosotros bien a continuar en sus poblaciones del monte, reconociendo o acatando el gobierno de la Revolución.

"Noveno: Los prófugos aislados que se capturasen o los que sin consentimiento de sus dueños se presenten a las autoridades o jefes militares, no serán aceptados sin previa consulta con dichos dueños o resolución adoptada por este gobierno conforme está dispuesto en anterior decreto." [32]

El decreto de Céspedes, como puede apreciarse, trataba de mantener en lo posible el *status quo* aun en el propio campo insurrecto, dejando la solución definitiva para el futuro.

En Camagüey los acontecimientos tomaban otro curso. Hasta la Asamblea de Guáimaro la revolución estuvo regida en esta provincia por los siguientes organismos: primero por la Junta Revolucionaria de Camagüey; segundo, el Comité Revolucionario de Camagüey; y tercero, la Asamblea de Representantes del Centro. Fue esta última la que tan pronto quedó constituída (25 de febrero de 1869) promulgó un decreto de abolición de la esclavitud, con indemnización para

---

[32] Fernando Ortiz, *Los Negros Esclavos*, La Habana, 1916, pp. 98-99.

los dueños de esclavos (artículos 1 y 2). En este documento se ordenaba que todos los libertos contribuyeran con su esfuerzo a la independencia de Cuba "gozando del mismo haber y de las propias consideraciones que los demás soldados del Ejército Libertador" (artículos 3 y 4). Los no aptos para el servicio militar contribuirían a la causa ayudando "a conseguir el sustento de los que ofrecen su sangre por la libertad común; obligación que corresponde de la misma manera a todos los ciudadanos hoy libres, exentos del servicio militar, cualquiera que sea su raza" (artículo 5). En el artículo 6 se anunciaba un reglamento especial para prescribir los detalles del cumplimiento del decreto. [33]

El 10 de abril de 1869 se reunía la Asamblea Constituyente de toda la República en Guáimaro y en el artículo 24 de la Carta Magna allí aprobada se estableció: "Todos los habitantes de la República son enteramente libres." Parecía que la esclavitud quedaba definitivamente abolida. Pero no era así. La Cámara de Representantes recién creada estableció distingos entre los cubanos. Lo demuestra el hecho de que en su sesión del 5 de julio de 1869 acordara un *reglamento de libertos* que, en la práctica, violaba el espíritu y la letra de la Constitución, estableciendo el Patronato, declarando forzoso y sin paga de jornal el trabajo de los libertos y negándoles a éstos el derecho a disponer de sus personas. En su artículo 28 la Carta de Guáimaro estatuía: "La Cámara no podrá atacar las libertades de culto, imprenta, reunión pacífica, enseñanza y petición, ni derecho alguno inalienable del pueblo." Pero en el reglamento del 5 de julio si bien se concede al liberto el derecho de "separarse de la casa de los que fueron sus amos", se le niega el prestar sus servicios en la forma

---

[33] Vidal Morales, op. cit., p. 143.

41

que tuviere por conveniente porque en su artículo 3 queda establecido que, para abandonar a sus amos, los libertos debían dirigirse a "la oficina del ramo, a fin de que ésta los coloque con otros patronos, de cuya casa no podrá separarse sin razones poderosas aducidas previamente en la misma oficina del ramo." [34] En realidad, los libertos no alcanzaron la plenitud de sus derechos civiles y políticos hasta el 25 de diciembre de 1870, en que Céspedes, mediante una circular, declaró abolido el reglamento de libertos y, por tanto, liquidada la esclavitud en los campos de Cuba Libre.

El curso zigzagueante y a ratos contradictorio de estos acontecimientos sólo se comprende si tenemos en cuenta que desde el mismo día 10 de octubre se manifiestan en el campo insurreccional dos corrientes opuestas: una francamente abolicionista; la otra, integrada por los que creyendo necesaria la abolición, por considerarla justa, predicaban -por razones políticas- una actitud de moderación y prudencia alrededor de tan complicado asunto. Estos últimos entendían que debía procederse con cautela para no asustar a los hacendados de Occidente con medidas radicales, ya que éstos, sin duda alguna, se hubieran declarado de inmediato enemigos de la Revolución de haber ella decretado desde su inicio la supresión definitiva y total de la esclavitud.

En el primer grupo -el de los abolicionistas- militaban, desde luego, los esclavos y, además, gran número de campesinos, artesanos, trabajadores, profesionales modestos e intelectuales idealistas, que se habían incorporado a la lucha tras fundir en su mente las causas de la independencia y

---

[34] Eugenio Betancourt, *Ignacio Agramonte y la Revolución Cubana*, La Habana, 1928, pp. 455-457.

la libertad integral. Su criterio pudiera tal vez resumirse en esta elocuente manifestación de motivos de Máximo Gómez: "Mis negocios de madera y otros, me llevaron a distintos ingenios y en uno vi, por primera vez, cuando con un látigo se castigaba sin compasión a un pobre negro, atado a un poste, en el batey de la finca y delante de toda la dotación del ingenio. No pude dormir en toda la noche; me parecía que aquel negro era uno de los muchos que aprendí a amar y respetar al lado de mis padres en Santo Domingo... Por mis relaciones con cubanos entré luego en la conspiración; pero yo fui a la guerra, llevado por aquellos recuerdos, a pelear por la libertad del negro esclavo; luego fue mi unión contra lo que se puede llamar esclavitud blanca y fundí en mi voluntad las dos ideas, a ellas consagré mi vida." [35]

En el segundo grupo militaban los hacendados, terratenientes y demás elementos acomodados, con Carlos Manuel de Céspedes a la cabeza. Que Céspedes estaba animado de hondos sentimientos abolicionistas es algo que no puede discutirse. Pero, como hemos visto, él abordó el problema con una curiosa mezcla de audacia y prudencia. Por un lado, en gesto revolucionario de incalculables consecuencias propagandísticas, dio libertad a sus siervos. Por otro, dictó medidas muy conservadoras, que legalmente dejaban en pie la institución. En carta al Presidente de Chile, Céspedes explicó así su actitud: "Solamente hemos respetado, aunque con dolor de nuestro corazón, porque somos acérrimos abolicionistas, la emancipación de los esclavos; porque es una cuestión social de gran trascendencia que no podemos resolver ligeramente ni inmiscuir en nuestra cuestión política, porque

---

[35] Benigno Souza, *Máximo Gómez. el Generalísimo*, La Habana, 1936, pp. 24-24.

podría oponer graves obstáculos a nuestra revolución, y porque nosotros no podemos arrogarnos el derecho de imponer nuestra voluntad a los pueblos de Cuba, que son los que están llamados a disponer de sus destinos, cuando hagamos quedar triunfante la bandera republicana y cuando obliguemos a salir precipitadamente de Cuba, a los representantes del odioso gobierno de España." [36]

¿Por qué consideraba Céspedes como peligroso para la causa de Cuba el abolicionismo radical en ese momento? Con casi brutal franqueza nos lo dice Antonio Zambrana en su obra *La Revolución Cubana*: "Teniendo la Revolución a su favor el apoyo caluroso de las clases acomodadas, era preciso no perjudicar su prestigio con una sola medida que sembrara en ellos la alarma y produjese su desafección... La primera cuestión por su importancia y por su urgencia, era la esclavitud. La Asamblea de Camagüey la había abolido. La Constitución del 10 de abril declaraba igualmente libres a todos los habitantes de la República. Pero el problema estaba sin resolver del todo; pues la abolición podía hacerse más o menos ilusoria por medio de disposiciones reglamentarias." [37]

Guáimaro fue una transacción. Para complacer los anhelos democráticos y radicales de los de abajo: abolicionismo plasmado en el artículo 24. Para contemporizar con los hacendados de Occidente: Reglamento de Libertos del 5 de julio. Ese equilibrio era inestable. No podía sostenerse. No se sostuvo. El gesto de Céspedes en La Demajagua tuvo en definitiva más potencia histórica que todos sus decretos "moderados" y "prudentes". Era un hecho, no una palabra. Tuvo el

---

[36] Vidal Morales, op. cit., p. 141.
[37] Cepero, op. cit., p. 120.

valor de una llamativa clarinada. Hizo que se incorporaran en masa a la gesta libertadora los enemigos acérrimos, sin vacilaciones, de la esclavitud: los Gómez, Maceo, Moncada, Banderas, Crombet, etc. Y en la misma medida en que estos hombres de extracción popular fueron ascendiendo en el campo mambí, subieron también los valores del abolicionismo hasta triunfar definitivamente a fines de 1870.

En el 95 la posición de la población negra cubana es muy distinta a la que ocupa en el 68. Por lo pronto, en el propio seno de la Guerra Grande se produjeron desplazamientos muy importantes, que se reflejaron vivamente en la nueva situación. Como explica Sergio Aguirre: "A medida que la guerra avanza se va borrando la hegemonía inicial de los sectores ricos. Hombres del pueblo ganan grados en los campos de batalla. Y cuando termina la contienda con el Pacto del Zanjón, se ha esfumado el rol dirigente de la burguesía cubana. La Revolución marcha en hombro de los Máximo Gómez, los Calixto García y los Antonio Maceo. De hombres cuya extracción social es bien distinta de la de Aguilera y Céspedes. La Protesta de Baraguá la encabeza el mulato Maceo. Y con el mulato Maceo viene a parlamentar Arsenio Martínez Campos." [38]

Por otro lado, la esclavitud quedó abolida en Cuba en la década del 80, como consecuencia directa de las luchas del partido separatista. La historia prueba que sólo a la fuerza y en trance de muerte hizo España concesiones en este erizado problema. En efecto: cuando La Demajagua abrió el camino mambí para la definitiva liberacion del negro esclavo y Guáimaro estampó en la historia su página de igualdad, España promulgó a regañadientes una ley por la que declaró

---

[38] Aguirre, op. cit., p. 43.

libre a todo hijo de esclava nacido en Cuba desde septiembre de 1868 en adelante, a los que hubieran auxiliado a las tropas españolas con los libertadores criollos y a los que tuvieren 60 años cumplidos o los cumplieren. [39]

Posteriormente, cuando el engaño del Zanjón se hizo obvio y los cubanos más impacientes se lanzaron a los campos, dando inicio a lo que se conoce en nuestra historia con el nombre de la Guerra Chiquita, España, asustadísima, dictó en 1880 la abolición gradual de la esclavitud, dejando sin embargo como rezago el Patronato, que era una esclavitud disimulada. [40] Cuando el avispero cubano volvió a agitarse años más tarde con la conspiración conocida con el nombre de *Plan Gómez-Maceo* (1884-1886), España, acobardada, hizo en 1886 otra concesión: dictó la abolición definitiva de la esclavitud, aboliendo el Patronato. [41]

Todavía, en 1893, cuando el movimiento revolucionario ha vuelto a cobrar ímpetu tras la fundación del Partido Revolucionario Cubano por José Martí, el gobierno de España en Cuba insiste en manipular la demagogia. Respondiendo a una intensa campaña desarrollada por el Directorio de la Clase de Color, que dirigía Juan Gualberto Gómez, declara que los cubanos negros pueden tomar asiento en los lugares públicos y ocupar sitio en las escuelas y paseos, a la par con el cubano blanco. Estas medidas fueron puestas al desnudo en su verdadera entraña por la pluma afilada de Martí, en su célebre artículo "El Plato de Lentejas", donde demuestra que

---

[39] Es la llamada Ley de Vientres Libres de 4 de julio de 1870. Ver el texto en Fernando Ortiz, op.cit., pp. 495 y ss.

[40] Ortiz, op. cit., pp. 510 y ss.

[41] Ortiz, op. cit., p. 102.

46

la monarquía "podrida y aldeana" de España no hace sino conceder tímida y tardíamente lo que la Revolución cubana había dado a plenitud 25 años antes. "La Revolución fue la que devolvió a la humanidad la raza negra. La Revolución declaró libres a los esclavos. Todo esclavo de entonces, libre hoy, y sus hijos todos, son hijos de la revolución cubana." [42]

Un ancho espíritu democrático, igualitario, satura el movimiento conspirativo que produce el 24 de febrero de 1895. Por supuesto, no faltaron -sobre todo en la emigración- elementos cargados de prejuicios racistas que en el propio seno de la revolución en marcha agitaran el banderín del "peligro negro", mellando así la unidad combatiente de los diversos factores independentistas. Pero el alto mando mambí, con su máximo líder José Martí a la cabeza, condenó esa desviación, destacando sus peligros para la causa. [43]

El 24 de febrero proclama, desde su inicio, la doctrina de la igualdad absoluta entre todos los cubanos, fiel al credo de su guiador ideológico, que predicaba: "Por sobre las razas, que no influyen más que el carácter, está el espíritu esencial humano que las confunde y unifica." Martí combatió sin tregua toda desviación discriminativa. A quienes insistían en agitar el "peligro negro" los desnuda con estas palabras: "Ya en Cuba está planteado el problema inevitable de todos los pueblos, y ese es en realidad el único problema de Cuba,

---

[42] José Martí, *Obras Completas*, (Edición de Gonzalo de Quesada y Miranda), Vol. 6, La Habana, 1937, pp. 40 y ss.

[43] Véase, para citar sólo un ejemplo, el excelente trabajo de Manuel de la Cruz, *La Revolución Cubana y la Raza de Color*, sobre todo en su capítulo II, titulado "¡Niños, que se los come el coco!" *Obras* de Manuel de la Cruz, Vol. 7, *Estudios Históricos*, La Habana-Madrid, 1926, pp. 19 y ss.

que explica las confusiones aparentes del país, como explica la catástrofe de la guerra: la minoría soberbia, que entiende por libertad su predominio libre sobre sus conciudadanos a quienes juzga de estirpe menor, prefiere humillarse al amo extranjero, y servir como instrumento de un amo u otro, a reconocer en la vida política y confirmar con la justa consideración del trato, la igualdad del derecho de todos los hombres." Y en el Manifiesto de Montecristi quema con el hierro candente de la crítica a los que aventaban el "temor insensato y jamás en Cuba justificado, a la raza negra."

Antonio Maceo, por su parte, proclamó en brillante síntesis: "La Revolución no tiene color." Y Máximo Gómez, contestando una carta del general español Ramón Blanco en 1898: "Usted dice que pertenecemos a la misma raza y me invita a luchar contra un invasor extranjero; pero usted se equivoca otra vez, porque no hay diferencias de sangre ni de raza. Yo sólo creo en una raza: la humanidad." Juntar y no separar es la palabra de orden. En su famosa *Proclama de Yaguajay* Gómez postula: "Yo aconsejo para Cuba... un abrazo fraternal que apriete y una para siempre." [44] Ese fue siempre el espíritu de la Revolución de 1895.

Bastaría establecer un paralelo entre la ubicación social de los dirigentes del 68 y la de los líderes del 95 para comprender hasta qué punto fue este último movimiento una superación histórica de los postulados del primero. El papel importantísimo que desempeñan los negros y los mulatos en la dirección de la Guerra de Independencia puede apreciarse con una rápida mirada a esta lista de nombres

---

[44] Cit. por Leonardo Griñan Peralta, *El Carácter de Máximo Gómez*, La Habana, 1946, p. 36.

destacadísimos de altos jefes "de color": en primer término, Juan Gualberto Gómez, agente principal del Partido Revolucionario en Cuba hasta el momento del estallido, cuando fue hecho prisionero; y los generales Antonio Maceo, Lugarteniente General (segundo cargo en el Ejército Libertador); Guillermo Moncada, jefe de los santiagueros, blancos y negros; José Maceo, jefe destacado del Departamento Oriental; Flor Crombet; Quintín Banderas; Jesús Rabí; Victoriano Garzón; Pedro Díaz; Agustín Cebreco y muchos cientos de oficiales más de elevada graduación...

La Revolución nacida el 24 de febrero aspiraba a crear una República libre, democrática e igualitaria, con el trabajo dignificador abierto a todos los ciudadanos por igual: un crisol donde se superasen las diferencias aun existentes y aun operantes, y quedasen eliminadas las discriminaciones producidas por absurdos prejuicios raciales (o sea, por la "preocupación", como se decía en aquel tiempo con socorrido eufemismo.)

El programa y los anhelos del 24 de febrero de 1895 a este respecto han sido expuestos de modo insuperable por Manuel de la Cruz en la obra arriba citada: "Libre el país cubano del anárquico y bárbaro dominio español, el negro y el mulato compartirán con el blanco el gobierno y la administración del país. A nadie se le preguntará cuál es el color de su piel, si sus ascendientes nacieron en el riñón de Alemania o en el corazón de Senegambia; a todos habrá de exigírseles aptitud, condición, dotes para el cargo que cada cual pretenda desempeñar. Esta es la forma más alta de igualdad social, y es sabido que ésta está fuera del alcance del legislador, que es puramente individual y voluntaria... Los que del esclavo hecho por el Gobierno de España hicimos el ciudadano sin color de la República de Cuba; los que del ciudadano hicimos soldados, oficiales, jefes, no habríamos de vacilar un punto en hacer magistrados, administradores, representantes, ministros, jefes del Ejecutivo. La nueva organización no podrá hacer más. Al gusto, al carácter, a la índole de cada cual quedará luego el derecho de tomar puesto en el concierto social." [45]

Estos elevados ideales -no hay que decirlo- sólo en parte se realizaron. Luego veremos cómo y por qué éste y muchos otros aspectos del programa del 24 de febrero no se llevaron a la práctica con el establecimiento de la República en 1902, creándose así un vacío histórico que todavía no se ha llenado por completo.

***

En otro problema fundamental de nuestra historia -la actitud respecto a los Estados Unidos- se muestran claramente las diferencias entre las opiniones de los líderes del 68 y las de los rectores del 95. La distinta configuración social de ambos movimientos nos permite ver las raíces de las sustanciales discrepancias.

Es un hecho probado por la historia que la Revolución de 1868 nació tarada de anexionismo. El 24 de octubre de 1868 Carlos Manuel de Céspedes, Perucho Figueredo, Pedro Maceo Osorio, Bartolomé Masó y otros jefes distinguidos de la insurrección, dirigen una carta al Secretario de Estado de los Estados Unidos, W. H. Seward. En ella le exponen los motivos determinantes del alzamiento y le recuerdan los lazos comerciales que unían por aquel entonces a Cuba con su

---

[45] Manuel de la Cruz, op. cit., p. 32. Ver también a este respecto: Armando Guerra, *Martí y los Negros*, La Habana, 1947, p. 34.

50

país. Y agregan: "Por eso... no hemos dudado un solo momento en dirigirnos a ella (a Norteamérica) por conducto de su Ministro de Estado, a fin de que nos preste sus auxilios y nos ayude con su influencia para conquistar nuestra libertad, que no será dudoso ni extraño que después de habernos constituído en nación independiente formemos más tarde o más temprano una parte integrante de tan poderosos Estados porque los pueblos de América están llamados a formar una sola nación y a ser la admiración y el asombro del mundo entero." [46]

Este tipo de anexionismo -más bien continentalismo bolivariano que otra cosa- es, en verdad, muy moderado comparado con el que predominó en la región camagüeyana. La Asamblea de Representantes del Centro, cuatro días antes de la reunión de Guáimaro, elaboró dos documentos de franco sabor anexionista: una carta dirigida al Presidente de los Estados Unidos, Ulises Grant, y otra al congresista norteño General Nathaniel P. Banks. En la primera se lee: "Parece que la Providencia ha hecho coincidir estos acontecimientos con la exaltación al poder del partido radical que representais, porque sin el apoyo que de ese partido aguardamos, puestos en lucha los cubanos con un enemigo sanguinario, feroz, desesperado y fuerte, si se consideran nuestros recursos para la guerra, vencerán, sí, que siempre vence el que prefiere la muerte a la servidumbre, pero Cuba quedará desolada, asesinados nuestros hijos y nuestras mujeres por el infame gobierno que combatimos, y cuando según el deseo bien manifiesto de nuestro pueblo, la estrella solitaria que hoy nos sirve de bandera, fuera a colocarse entre las que

---

[46] Cit. por H. Portell Vilá, *Historia de Cuba en sus Relaciones con los Estados Unidos y España*, La Habana, 1939, Vol. 2, p. 217.

resplandecen en la de los EE. UU., sería una estrella pálida y sin valor." [47]

De modo ya oficial, el 20 de abril de 1868, la Cámara de Representantes reunida en Guáimaro tomó el acuerdo siguiente: "Primero: Comunicar al Gobierno y al pueblo de los Estados Unidos que ha recibido una petición suscrita por un gran número de ciudadanos en que se suplica a la Cámara manifieste a la Gran República los vivos deseos que animan a nuestro pueblo de ver colocada a esta Isla entre los Estados de la Federación Norteamericana. Segundo: Hacer presente al Gobierno y al Pueblo de los Estados Unidos que éste es realmente en su entender el voto casi unánime de los cubanos, y que si la guerra actual permitiese que se acudiera al sufragio universal, único medio de que la anexión legítimamente se verificara, ésta se realizaría sin demora." [48]

No es ésta la ocasión para exponer las causas mediatas e inmediatas de estas actitudes, ni para mostrar las diferencias ostensibles que exitían entre la posición de Céspedes, por ejemplo, y los anexionistas camagüeyanos. Conformémonos con señalar que ante la indiferencia y el desprecio de las autoridades norteamericanas, sus continuados y gratuitos agravios a la dignidad del gobierno revolucionario y sus tortuosos manejos diplomáticos, pronto reaccionan los mambises alzando el pabellón del independentismo radical y absoluto.

Para no citar más que un caso en apoyo de esta tesis: en una carta fechada en Tunas el 10 de agosto de 1871, Carlos Manuel de Céspedes le dice al senador norteño Char-

---

[47] Betancourt, op. cit., p. 98.

[48] Emilio Roig de Leuchsenring, *Cuba y los Estados Unidos*, La Habana, 1950, p. 133.

les Sumner: "La nación americana, que ha simpatizado con todos los que han luchado por la libertad y que hasta auxilió a algunos noblemente, no puede menos de simpatizar con Cuba, como han venido a demostrar las entusiastas y numerosas manifestaciones de los diversos órganos de la opinión pública. A la imparcial historia tocará juzgar si el Gobierno de esa gran República ha estado a la altura de su pueblo y de la misión que representa en América, no ya permaneciendo simple espectador indiferente de las barbaries y crueldades ejecutadas a su propia vista por una potencia europea monárquica contra su colonia, que en uso de su derecho, siguiendo el ejemplo de los mismos Estados Unidos, rechaza la dominación de aquella para entrar en la vida independiente; sino prestando apoyo indirecto moral y material al opresor contra el oprimido, al fuerte contra el débil, a la Monarquía contra la República, a la Metrópoli europea contra la Colonia americana, al esclavista recalcitrante contra el libertador de miles de esclavos. Mas no por eso ha menguado la consideración del pueblo de Cuba hacia el de los Estados Unidos de América; ambos son hermanos y permanecerán unidos en espíritu, a pesar de la conducta de la Administración del último, que no me corresponde calificar." [49]

Muy distinta es la situación que encontramos en los albores del 95. Entre el Zanjón y Baire, una serie de acontecimientos epocales han tenido lugar. En primer término había culminado el proceso de condensación histórica que convirtió a los Estados Unidos en potencia imperialista. Las fuerzas que mueven al gobierno de este país ahora son más hondas y extensas. A las consideraciones estratégicas y políticas

---

[49] Carlos Manuel de Céspedes, *Carlos Manuel de Céspedes*, París, 1925, p. 112.

se añaden las consideraciones económicas, en cualquier tipo de relación entre Cuba y los Estados Unidos.

En segundo lugar, en este período Cuba se convierte prácticamente en una colonia comercial de Norteamérica. Ya en 1881, el *United States Consular Report* podía afirmar sin temor a equivocarse: "Comercialmente Cuba se ha convertido en una dependencia de los Estados Unidos, aunque políticamente continúe dependiendo de España." En 1894, Cuba importa de España artículos por el valor de $30.620.210 y de los Estados Unidos por el valor de $32.948.200. En ese mismo año Cuba exporta a España $8.381.661 mientras vende a los Estados Unidos *once veces más*: $93.410.411. Estas cifras hablan por sí solas. [50]

En tercer lugar, los propósitos expansionistas del naciente imperialismo norteamericano, sus incesantes maniobras para quedarse con Cuba y la falta de simpatía mostrada por los gobiernos norteños a los esfuerzos cubanos por lograr vida independiente a lo largo del siglo XIX, son perfectamente conocidos y repudiados por los líderes revolucionarios criollos más perspicaces. Por lo tanto, a nadie podrá extrañar que los jefes máximos del movimiento que estalla el 24 de febrero de 1895 no sólo rechazasen el anexionismo sino que contemplasen con repugnancia y temor la predominante política de expansión imperial de los Estados Unidos.

Aclarándole a Ricardo Rodríguez Otero, en 1886, su posición a este respecto, José Martí le dice que sólo quien desconozca a Cuba y a la federación norteña o ame a los Estados Unidos más que a Cuba puede favorecer la política de anexión. Pero "quien ama a su patria con aquel cariño que sólo tiene comparación, por lo que sujetan cuando

---

[50] Roig de Leuchsenring, op. cit., pp. 154-155.

prenden y por lo que desgarran cuando se arrancan, a las raíces de los árboles, -ése no piensa con complacencia, sino con duelo mortal, en que la anexión pudiera llegar a realizarse..." [51] Y con notable presciencia, agrega: "...Tal vez sea nuestra suerte que un vecino hábil nos deje desangrar a sus umbrales, para poner al cabo, sobre lo que quede de abono para la tierra, sus manos hostiles, sus manos egoístas e irrespetuosas." [52]

El día antes de caer en Dos Ríos, Martí escribe en su famosa carta a Manuel Mercado: "...Ya estoy todos los días en peligro de dar mi vida por mi país y por mi deber... de impedir a tiempo con la independencia de Cuba que se extiendan por las Antillas los Estados Unidos y caigan con esa fuerza más, sobre nuestras tierras de América. Cuanto hice hasta hoy, y haré, es para eso..." [53]

Antonio Maceo le escribió a Federico Pérez Carbó: "Tampoco espero nada de los americanos; todo debemos fiarlo a nuestros esfuerzos; mejor es subir o caer sin ayuda que contraer deudas de gratitud con un vecino tan poderoso."

Combatiendo la anexión escribió Máximo Gómez a José Poyo: "Repugna profundamente a mi corazón aquella idea. ¡Cómo hay en Cuba quien piense en eso! Sería el colmo de la degradación política y social y la mancha más negra que pudiera caer en la historia de uno de los pueblos más cultos y heroicos de América!"

---

[51] José Martí, *Obras Completas*, La Habana, 1975, vol. 1, pp. 195-196.

[52] Ibidem, p. 196.

[53] José Martí, *La Gran Enciclopedia Martiana*, Miami, 1978, vol. 4, p. 309.

Innumerables fragmentos o episodios pudiéramos agregar aquí para probar el carácter antimperialista (contra todo tipo de ingerencia extraña) de la prédica revolucionaria de los hombres del 95. Y no sólo de Martí, Gómez y Maceo, sino también de Calixto García, de Bartolomé Masó, de Juan Gualberto Gómez, de Manuel Sanguily, de Enrique José Varona, etc.

Con lo dicho basta para fijar las profundas diferencias existentes entre la visión del 68 y la del 95. En realidad este factor constituye la clave para comprender el sentido profundo del 24 de febrero. Porque Martí, representando el criterio mayoritario del país, no creía que su labor quedara completa con un simple cambio de epidermis política, es decir, con la mera liquidación del coloniaje hispano, sino que postulaba la necesidad de una serie de transformaciones raigales. Explicaba que el trabajo no estaba en sacar a España de Cuba; sino en sacárnosla de las costumbres. Por eso fijó en las bases de constitución del Partido Revolucionario Cubano, la necesidad de trabajar por la "creación de una República justa y abierta, una en el territorio, en el derecho, en el trabajo y en la cordialidad, levantada con todos y para el bien de todos."

Para realizar esos ideales era imprescindible, en primer lugar, derrotar a España, y a la vez evitar que la nueva y vigorosa potencia absorcionista, peligrosamente cercana y ávida, adquiriera el control político del país. Mientras algunos hombres del 68 podían concebir como una salida para Cuba su ingreso en la Unión norteamericana, para los hombres del 95 esa postura era inconcebible. Eso explica por qué, en cierta ocasión, respondió Antonio Maceo a los ímpetus anexionistas de un joven santiaguero con una frase que sólo puede sorprender a quien no conozca las entrañas del pensamiento mambí: "¡Ese sería el único caso en que tal vez estaría yo... al lado de los españoles!"

El programa del 24 de febrero

La composición social de la Revolución del 95 que arriba examinamos, explica también el carácter ampliamente democrático del programa político que enarbolan los patriotas al alzarse en armas el 24 de febrero. Veamos, en rápida ojeada, los perfiles básicos de este programa liberador.

1- El primer rasgo es, por supuesto, el independentismo radical y absoluto. Cuba debe ser libre de todo yugo extranjero. Ningún tipo de ingerencia extraña resulta aceptable. No creemos necesario -después de todo lo que llevamos expuesto- extendernos sobre el particular.

2- El próximo paso, también lo vimos, es el establecimiento de una República democrática. Maceo lo concreta así en carta dirigida a José Martí en enero de 1887: "...Creo que ninguna forma de gobierno es más adecuada, ni más conforme con el espíritu de la época que la forma republicana y democrática. Una República establecida sobre sólidas bases de moralidad y justicia, es el único gobierno que garantizando todos los derechos del ciudadano, es a la vez su mejor salvaguardia con relación a sus justas y legítimas aspiraciones; porque el espíritu que lo alimenta y amamanta es todo de libertad, igualdad y fraternidad..." Martí, por su parte, no quería una República donde se perpetuaran, con cambios más aparentes que reales, el autoritarismo y el burocratismo de la colonia. Y sostenía que la guerra era para fundar "un pueblo nuevo y de sincera democracia, capaz de vencer por el orden del trabajo real y el equilibrio de las fuerzas sociales,

los peligros de la libertad repentina en una sociedad com
puesta para la esclavitud."

3- Dentro de los marcos de esa revolución democrática y de liberación nacional, deben funcionar plenamente los
principios del liberalismo más radical, que es el credo político
que mueve, en lo hondo, el carro echado a andar el 24 de
febrero. Por democracia se entiende gobierno representativo
que respeta los derechos políticos del pueblo, sobre todo el
sufragio universal, y que, además, protege sus derechos civiles: de propiedad privada, de libertad de palabra, de religión,
de reunión, etc. Es un credo que repudia todo género de
autoritarismo, toda forma de dictadura, toda especie de autocracia. Y que consagra, como piedra sillar del sistema, la autonomía del individuo sólo limitada por su reverente acatamiento a la autonomía de los demás.

4- Otro rasgo fundamental es lo que pudiéramos llamar populismo, la simpatía por los débiles, por los desamparados. Martí no oculta sus amores:

> Con los pobres de la tierra
> quiero yo mi suerte echar,
> los arroyos de la sierra
> me complacen más que el mar.

Los luchadores del 95 buscan salida favorable para
las ansias de las masas populares enroladas en la lucha. El
Ejército Libertador estaba integrado mayoritariamente por
campesinos. No es de extrañar, por eso, que la Revolución se
interesara por darle al agro una organización que beneficiase
a esa clase fundamentalísima del país.

Para Martí, por ejemplo, la agricultura era "la única
fuente constante, cierta y enteramente pura de riqueza." Por

eso precisaba dar al país un sistema de tierras capaz de acrecentar la riqueza agrícola en un ambiente de justicia, progreso y cultura. "La tierra es la gran madre de la fortuna. Labrarla es ir derechamente a ella. De la independencia de los individuos depende la grandeza de los pueblos. Venturosa es la tierra en que cada hombre posee y cultiva un pedazo de terreno." Pero hay que tener cuidado. El latifundismo es un mal terrible. Sigue diciendo Martí: "La riqueza exclusiva es injusta. Sea de muchos; no de los advenedizos, nuevas manos muertas, sino de los que honrada y laboriosamente la merezcan. Es rica una nación que cuenta con muchos pequeños propietarios. No es rico el pueblo donde hay algunos hombres ricos, sino aquel donde cada uno tiene un poco de riqueza. En economía política y en buen gobierno, distribuir es hacer venturosos."

En el Manifiesto del Partido Revolucionario Cubano a Cuba (1893) se resumen estos criterios en los siguientes términos: "Ancha es en Cuba la tierra inculta, y clara es la justicia de abrirla a quien la emplee, y esquivarla de quien no la haya de usar; y con buen sistema de tierras, fácil en la iniciación de un país sobrante, Cuba tendrá casa para mucho hombre bueno, equilibrio para los problemas sociales, y raíz para una República que más que de disputas y de nombres, debe ser de empresa y de trabajo." [54]

Eso explica por qué en julio de 1896 el General Máximo Gómez le anunció al país, en un decreto, lo que equivalía a la oferta de una auténtica reforma agraria. Según esa proclama, todas las tierras adquiridas por la República, ya por conquista, ya por confiscación, se dividirían eventualmente entre los que luchaban por la independencia contra España.

---

[54] *La Gran Enciclopedia Martiana*, Miami, 1978, vol. 3, p. 180.

Cada cual recibiría una porción proporcional a los servicios rendidos a la Revolución, tan pronto quedara organizado el primer Congreso de la Nación, después de la derrota hispana. A esto se agregaría una cantidad en efectivo. Todas las tierras, dineros o propiedades pertenecientes a España o sus aliados o simpatizadores se declaraban confiscadas para beneficio del ejército cubano y de todos los defensores de la República de Cuba. [55]

Antilatifundismo, reparto de tierra al campesinado, política agraria encaminada a la creación de una clase campesina afincada en el suelo nativo, dueña de su tierra y de su destino: he ahí el programa que ofrece la Revolución a los miles de hombres que cambiaron el arado por el rifle y convirtieron el machete de trabajo en arma de combate para luchar por la independencia de Cuba y por abrir vías a una República democrática, progresista, y justa. Los trabajadores constituyen el otro sector popular básico del movimiento. Y el Partido Revolucionario Cubano, desde el inicio, les reconoce a los trabajadores el puesto importantísimo que ocupan en la sociedad contemporánea. Martí había escrito: "Comete delito, y tiene el alma ruin, el que ve en paz, y sin que el alma se le deshaga en piedad, la vida dolorosa del pobre obrero moderno..." (OEL, I, 1704) [56] Apoya sus reivindicaciones fundamentales: "Quieren que el trabajo se reduzca a ocho horas diarias, y es su derecho quererlo, y es justo..." (OEL, I, 1706) Y agrega: "Así son los gremios de los trabaja-

---

[55] Louis A. Pérez Jr., *Cuba Between Empires, 1878-1902*, Pittsburgh, 1983, pp. 136-137.

[56] Con la sigla OEL nos referimos a las *Obras Completas* de José Martí, Editorial Lex, 2 vols., La Habana, 1946. Al final de cada cita indicamos el tomo y la página de donde la hemos extraído.

dores en los Estados Unidos. Simpáticos, porque tienen de su lado la razón, cuando se congregan para resistir a los abusos del fabricante que los emplea; irreprochables cuando en uso de un legítimo derecho se niegan a trabajar por una suma que no alcanza a cubrir los gastos urgentes de la vida de familia." (OEL, I, 1545)

En el programa del 24 de febrero estaba inscripto el derecho a la huelga, el derecho a la organización sindical, el derecho a la defensa del pan. Es una realidad que se desprende del pensamiento del líder del movimiento, José Martí. Parecidos criterios mantuvieron Antonio Maceo, Máximo Gómez y aun Tomás Estrada Palma, sobre el papel que desempeñaba en la revolución la clase obrera y la necesidad de garantizar sus derechos después de la victoria.

[Debe advertirse, sin embargo, para ser fieles a la verdad histórica, que Martí censuró también el abuso de poder que a veces ejercían los gremios, convirtiéndose en tiránicos, "apenas se sienten con fuerzas para imponer su voluntad." (OEL, I, 1545) El obrero tiene razón cuando reclama justicia, pero no debe desbordarse en sus demandas sin exponerse al riesgo de perderla. "Lo justo, a veces, por el modo de defenderlo, parece injusto." (OEL, I, 737) Quería Martí que se explicara a los oprimidos del mundo, a los obreros y campesinos, a los trabajadores "la inconveniencia de deslucir con la ira la justicia." (OEL, I, 740) Y así escribía: "Hay huelgas injustas. No basta ser infeliz para tener razón. La justicia de una causa es deslucida muchas veces por la ignorancia y el exceso en la manera de pedirla." (OEL, I, 1674) Resumiendo: "El derecho del obrero no puede ser nunca el odio al capital: es la armonía, la conciliación, el acercamiento común de uno y otro." (OEL, II, 756)]

5- De la aplicación de la tesis liberal a nuestra realidad económica se desprenden otros postulados programáticos que Martí se encargó de explayar y difundir:

a) Martí propugna, dentro del sistema de libre empresa, el desarrollo de industrias "propias y originales", industrias derivadas de la agricultura y de la minería de nuestra tierra, que tengan en ella su fuente de materias primas. En su artículo "La industria en los países nuevos" escribe: "Es de alentar toda industria que tenga raíces constantes en el territorio que la inicia." [57] Esas industrias "genuinas" deben ser protegidas, siempre que las restricciones necesarias para protegerla no le impongan al país un sacrificio inaceptable. [58]

b) Diversificación pedía Martí para nuestros países. Estas son palabras suyas: "Comete suicidio un pueblo el día en que fía su subsistencia a un solo fruto... Los cultivos numerosos de diversas ramas agrícolas y sus industrias correspondientes mantienen en equilibrio a los pueblos dados por desdicha a cultivo mayores exclusivos: café, caña de azúcar, etc. Han venido a ser estos cultivos, con las grandes operaciones bursátiles que se basan en ellos, verdaderos juegos de azar, y como pompas mágicas, que ya son de oro, ya de jabón. Más vale, por si se quiebra la rienda en la carrera, llevar al caballo de muchas riendas que de una. Debiera ser capítulo de nuestro evangelio agrícola la diversidad y abundancia de los cultivos menores."

c) Para gozar de independencia económica, que es base de la independencia política, hay que hacerse de comercio amplio, extenso, diversificado: "Quien dice unión econó-

---

[57] *La Gran Enciclopedia Martiana*, vol. 9, p. 291.

[58] Ibid, id.

mica dice unión política. El pueblo que compra manda. El pueblo que vende, sirve. Hay que equilibrar el comercio para asegurar la libertad. El pueblo que quiere morir, vende a un solo pueblo, y el que quiere salvarse vende a más de uno. El influjo excesivo de un país en el comercio de otro se convierte en influjo político... El pueblo que quiera ser libre, sea libre en negocios. Distribuya sus negocios entre países igualmente fuertes. Si ha de preferir alguno, prefiera al que lo necesite menos, al que lo desdeñe menos."

Quedan así fijados los cuatro pilares de la política económica de la Revolución: reforma agraria, diversificación productiva, fomento industrial y equilibrio del comercio exterior.

6- Cimiento imprescindible de todo este edificio, de todo este vasto proyecto de vida libre era, desde luego, la táctica de la unidad nacional, combatiente y enérgica. "Juntarse es la palabra de orden", predicaba Martí sin cansancio. Y Maceo: "La unión, amigos, se impone por fuerza a nuestro patriotismo: pues sin ella serían estériles todos nuestros sacrificios, se ahogarán siempre en sangre nuestras más arriesgadas empresas." Tarea en verdad difícil era apretar esos vínculos, dados nuestro carácter y las viejas divisiones de la guerra y el exilio. Pero Martí realizó el milagro. Para sorpresa de muchos, logró la aquiescencia y la fusión de voluntades indispensables para garantizar que el alzamiento del 24 de febrero no fuese sólo un "grito" aislado sino un concierto, que extendió desde el comienzo sus voces por todos los rincones del país.

7- Martí le confiere al movimiento una dimensión política que desborda los límites de la Isla. Su amplia visión otorga a la lucha por una independencia de Cuba y Puerto Rico una estatura antillana, americana, universal. El Partido

Revolucionario Cubano convoca a la lucha armada "para bien de América y del mundo"; para "asegurar la independencia amenazada de las Antillas y el equilibrio y porvenir de la familia de nuestros pueblos de América." O con otras palabras muy similares: "Las Antillas libres salvarán la independencia de nuestra América y el honor, ya dudoso y lastimado de la América inglesa, y acaso acelerarán y fijarán el equilibrio del mundo." No es obra pequeña y de limitados alcances la que emprenden los mambises: "No a mano ligera sino con conciencia de siglos -dice Martí- se ha de componer la vida nueva de las Antillas redimidas... Es un mundo lo que estamos equilibrando; no son dos islas las que vamos a libertar."

Y así precisa el papel que su posición geográfica le tiene reservado al archipiélago antillano: "El fiel de las Américas está en las Antillas, que serían, si esclavas, mero pontón de la guerra de una república imperial contra el mundo celoso y superior que se prepara ya a negarle el poder -mero fortín de la Roma americana-; y, si libres, -y digno de serlo por el orden de la libertad equitativa y trabajadora-, serían en el Continente la garantía del equilibrio, la de la independencia para la América española aun amenazada y la del honor para la gran República del Norte, que en el desarrollo de su territorio por desdicha feudal ya, y repartido en secciones hostiles, hallará más segura grandeza que en la innoble conquista de sus vecinos menores, y en la pelea inhumana que con la posesión de ellas abriría contra las potencias del orbe por el predominio del mundo." Estas palabras son una advertencia y un llamado. El vecino poderoso y expansionista es advertido de que Cuba no aceptaría nunca la posición de nueva colonia. Y a la vez se explica a las repúblicas de Centro y Sudamérica, así como a las potencias europeas, que Cuba lucha por detener el impetuoso avance de los Estados Unidos, que amenaza con romper el equilibrio diplomático del mundo. Cuba sabría mantener, una vez libre, una postura de equidistancia, de sabia neutralidad. "Ni uniones de América contra Europa, ni con Europa contra un pueblo de América... La unión, con el mundo, y no con una parte de él; no con una parte de él contra otra."

Independentismo. Antimperialismo. Republicanismo. Democracia. Derechos civiles y políticos. Libre empresa. Igualdad racial. Reconocimiento de los derechos obreros. Reforma agraria. Fomento industrial. Diversificación productiva. Equilibrio del comercio exterior. Unidad popular revolucionaria. Política exterior independiente. Limpio y humano internacionalismo para ayudar a mantener la paz universal.

Ahí tenemos, en rápido esbozo, en resumido esqueleto, el programa del 24 de febrero de 1895.

Destino torcido

Desgraciadamente, esta plataforma saturada del más hondo cubanismo no fue aplicada tras la derrota del poder español en nuestra isla en 1898. Tomó tiempo para que ese ideario comenzase a devenir realidad en la República. El impulso del 24 de febrero pareció detenerse por un momento en el vacío... Sucedió que en el instante en que los mambises tocaban ya casi con sus manos la victoria, se entrometió en el proceso, torciéndolo y deformándolo, un factor de perturbación: la expansión imperial de los Estados Unidos. La intervención de Washington en el momento crítico de la campaña impidió a los mambises cosechar los frutos de su gran triunfo.

La línea estratégica de la política norteña respecto a Cuba quedó establecida en abril de 1823, cuando el Secretario de Estado del Presidente Monroe, John Quincy Adams, en una nota enviada a Hugh Nelson, su Ministro en Madrid, le manifestó: "Es obvio que para que ese acontecimiento (la anexión de Cuba a Estados Unidos) se produzca no estamos todavía preparados, y que a primera vista se presentan numerosas y formidables objeciones contra la extensión de nuestros dominios dejando el mar por medio... Pero hay leyes de gravitación política como las hay de gravitación física y así como una fruta separada de su árbol por la fuerza del viento, no puede, aunque quiera, dejar de caer en el suelo, así Cuba, una vez separada de España y rota su conexión artificial que la liga con ella, es incapaz de sostenerse por sí sola, tiene que gravitar hacia la Unión Norteamericana, y hacia ella exclusivamente, mientras que a la Unión misma, en virtud de la propia ley, le será imposible dejar de admitirla en su seno." [59] Esta es la política de la *fruta madura* que regula las relaciones entre Cuba y los Estados Unidos a lo largo del siglo XIX, y constituye la clave de los acontecimientos de 1898, que culminan en la Guerra Hispano-cubana-americana.

Las causas que movieron al gobierno norteamericano a intervenir en el conflicto hispano-cubano son bien conocidas desde hace mucho tiempo. Como bien dice Ramiro Guerra: "La intervención no fue decidida por el gobierno de Mac Kinley para ayudar al establecimiento de una República indepediente y soberana en Cuba, sino para realizar las miras de una política muy claramente definida en todo el curso del siglo XIX." [60]

---

[59] Cit. por Emilio Roig de Leuchsenring, op. cit., p. 83.

[60] Ramiro Guerra, *En el Camino de la Independencia*, La Habana, 1930, p. 120.

66

Ya el Presidente Grover Cleveland lo había dejado establecido en su Mensaje al Congreso de 7 de diciembre de 1896: "Cuando se haya demostrado la imposibilidad por parte de España de dominar la insurrección, y se haga manifiesto que su soberanía en la Isla está prácticamente extinguida, resultando que la lucha por conservarla degenere en un esfuerzo infructuoso, que sólo signifique inútiles sacrificios de vidas humanas y la destrucción de la cosa misma por que se está combatiendo, habrá llegado entonces el momento de considerar si nuestras obligaciones hacia la soberanía de España no han de ceder el paso a otras consideraciones más altas, que escasamente nos será posible dejar de reconocer y cumplir." [61]

La situación prevista por Cleveland se produjo entre los meses finales de 1897 y los iniciales de 1898. Para esa época era evidente que los mambises estaban a punto de conquistar por sí solos la victoria. Después de ejecutada la Invasión, que llevó la guerra desde Oriente hasta Occidente, y a pesar de los desesperados esfuerzos de Weyler y de su política de "guerra a sangre y fuego", el poderío militar de España se fue deteriorando con extraordinaria rapidez. En Oriente, fuera de las ciudades fortificadas, como Santiago de Cuba, los mambises campeaban por sus respetos. Los españoles no se atrevían a salir al campo sino formando grandes columnas para aprovisionar a estas poblaciones, prácticamente cercadas por las guerrillas. La situación era tal que Calixto García, con su humor característico, le escribía a Tomás Estrada Palma en Nueva York, a mediados de 1897, que

---

[61] José Ignacio Rodríguez, *Estudio Histórico sobre el Origen, Desenvolvimiento y Manifestaciones Prácticas de la Idea de la Anexión de la Isla de Cuba a los Estados Unidos*, La Habana, 1900, pp. 517-518.

el Ejército Libertador no hacía más que "majasear" y que más peligro había en Broadway que en la manigua.

Algo parecido sucedía en Camagüey. Desde el año anterior (1896) Máximo Gómez, con la victoria de Saratoga y Calixto García con la toma de Guáimaro, habían determinado que el mando español concentrase sus fuerzas camagüeyanas en las poblaciones de Puerto Príncipe, Nuevitas y Santa Cruz del Sur y en la Trocha. Todo el resto de la provincia estaba en poder de los insurrectos, "que podían vivir allí como si no hubiese guerra." [62]

La guerra estaba entrando en una nueva fase. El poderío de los cubanos era tal que las viejas tácticas militares - la llamada "guerra de guerrillas"- era acompañada ahora por operaciones en gran escala. En agosto de 1897 el Mayor General Calixto García tomó la ciudad de Victoria de las Tunas, rindiendo en tres días una plaza que disponía de 16 fuertes y estaba defendida por 600 soldados de línea y 200 voluntarios; sin que durante el sitio -como bien expresa Fernando Portuondo- "ni en los días siguientes acudiera ninguna columna española a levantar el asedio o a recuperar la población." [63] Este hecho de armas provocó en España verdadera consternación. La pregunta que volaba de labio en labio en la Península era la misma que recogía y formulaba Gabriel Maura Gamazo en un libro que hizo sensación: "¿Cuál es el provecho de mantener en Cuba un ejército mucho mas crecido de

---

[62] Véase: Fernando Portuondo, *Historia de Cuba*, La Habana, 1955, pp. 577 y ss.

[63] Portuondo, op. cit., pp. 577 y ss.

lo que fue nunca en la Península, si pueden producirse allí sorpresas... como la de Victoria de las Tunas?" [64]

La política española de pelear "hasta el último hombre y la última peseta", la política de terror y Reconcentración, la política simbolizada por Valeriano Weyler, estaba totalmente fracasada. Con el cambio de gobierno ocurrido en España a principios de octubre de 1897, la orientación de la política española iba a sufrir serias transformaciones tácticas. Se ordenó el cese de la Reconcentración y de la guerra a sangre y fuego y se entró en el camino de las concesiones, en la ruta de la autonomía. El brutal Weyler fue sustituído por el moderado General Blanco, el 8 de octubre. El 26 de noviembre, la Gaceta Oficial de Madrid publicaba el texto de la nueva Constitución insular para Cuba y Puerto Rico. España confesaba que era incapaz de resolver el problema cubano por la fuerza de las armas. Y, ante la presión norteamericana, se replegaba en busca de respiro.

Pero todo esto resultaba demasiado poco y llegaba demasiado tarde. Los hechos posteriores se encargaron de demostrar que Cuba estaba definitivamente perdida para España. A lo de Victoria de las Tunas sucedió, tres meses después, lo de Guisa, también tomada por las fuerzas de Calixto García. Guisa, pueblo de la comarca de Bayamo, famoso por sus fortificaciones, centro de aprovisionamiento y operaciones del ejército español en el área, cayó en manos mambisas en un momento oportunísimo: precisamente cuando el general Blanco anunciaba la implantación de la autonomía. Esta maniobra militar adquirió todo el valor de un símbolo.

_____

[64] Gabriel Maura Gamazo, *Historia Crítica del Reinado de Don Alfonso XIII, durante su Minoridad bajo la Regencia de su Madre doña María Cristina de Austria*, Madrid, 1898, p. 332.

Y de ahí, la ofensiva mambisa continuó, arrolladora, primero en la región de Holguín y luego en el centro de la provincia.

La derrota de España en Cuba era, a fines de 1897, un secreto internacional a voces. Así lo proclamaban los periódicos de la Península, como *El Nuevo Régimen y La Epoca*. Y el gobierno norteño estaba muy al tanto de la situación. El ex-embajador de Washington en Madrid la había resumido en estas palabras: "La soberanía de España sobre Cuba se ha extinguido." Y el subsecretario de Estado lo hacía con éstas: "Hoy la fuerza de los cubanos es casi el doble... (Ellos) ocupan y controlan virtualmente todo el territorio fuera de las ciudades costeras fortificadas y de algunos poblados del interior... Hay que admitirlo: las provincias orientales son ya 'Cuba Libre'... En vista de todo esto, es evidente que la lucha de España en Cuba... es totalmente desesperada. España está exhausta financiera y físicamente, mientras que los cubanos están más fuertes." Por su parte, el cónsul norteño en La Habana, Fitzhugh Lee, informaba inequívocamente al Departamento de Estado de Washington, en diciembre de 1897, que no existía "la más ligera posibilidad" de que España pudiese apagar la insurrección. El 17 del mismo mes y año le escribía Theodore Roosevelt a W. W. Kimball: "Dudo que los españoles puedan realmente pacificar a Cuba, y si la insurrección continúa por mucho tiempo no veo como podemos dejar de intervenir." Era indudable: el poder español en Cuba estaba al borde del colapso. Como bien dice el profesor Louis A. Pérez, Jr.: "A principios de 1898, las autoridades de los Estados Unidos unánimemente convenían en que la soberanía española en Cuba había caducado... Las alternativas eran manifiestas: o los cubanos forzaban militarmente a España a cederle a la Isla su independencia, o los norteamericanos forzarían a España políticamente a transferir la Isla a los Estados Unidos. La política norteña en 1898 se dirigía a evitar la primera alternativa y a facilitar la segunda." [65]

Varias eran las razones que movían a las autoridades de los Estados Unidos a regatearle al gobierno de la República de Cuba en Armas y a su Ejército Mambí el poder que éstos parecían a punto de conquistar tras épicos esfuerzos. Lo que interesaba a las fuerzas expansionistas norteñas, en primer lugar, era apoderarse de Cuba y administrarla a su antojo, sin interferencia de ningún género. Además, la composición social del Ejército Libertador resultaba odiosa a las clases dominantes de Norteamérica, acostumbradas como estaban al predominio político de los sectores ricos y poderosos de la población. Esto resulta evidentísimo, por ejemplo, en lo que el Embajador de Washington en Madrid, Steward Woodford, le comunicaba a su gobierno en marzo de 1898. Después de insistir en que los cubanos eran incapaces de gobernarse a sí mismos, Woodford agregaba estas significativas palabras: "He llegado a la conclusión de que la única garantía de paz (en Cuba) consiste en que ondee allí nuestra bandera... Lenta y renuentemente me he convertido por completo a la idea de la pronta ocupación y posesión norteamericana de la Isla. Si reconocemos su independencia, podríamos entregarle la Isla *a una parte de sus habitantes en*

---

[65] Louis A. Pérez, Jr., *Cuba Between Empires, 1878-1902*, Pittsburgh, 1983, pp. 170-171. Las citas de Taylor y Lee han sido tomadas de esa misma obra, pp. 168-169. La de Roosevelt procede de Albert B. Hart y H. R. Ferleger, *Theodore Roosevelt Cyclopedia*, Nueva York, 1941, p. 170.

71

contra de la opinión de muchos de sus residentes más ricos
y mejor educados.'' [66]

Se nota claramente: lo que repugnaba a los grupos rectores de la sociedad norteña era el carácter profundamente popular del movimiento revolucionario cubano, basado sobre todo en las clases "medias" y "bajas" del país, principalmente los campesinos y los negros. Porque esa era la otra razón de su desasosiego, de su inquina y animadversión contra la causa mambisa: la fórmula racial predominante en la manigua que iba a darles a los negros y a los mulatos en la nueva República una fuerza que los discriminadores del Norte consideraban peligrosa e inaceptable para sus intereses. Para ellos, un pueblo con semejante mezcla de sangres era incapaz de gobernarse por sí solo. ¿No lo proclamaba nada menos que Theodore Roosevelt, quien sostenía que sin la dirección de los EE.UU., los cubanos después de obtener su independencia *"volverían* (sic) a hundirse en el caos y el salvajismo."? Ergo, para evitar el caos, la salida de España sólo podía ser sustituida por la presencia norteamericana.

Fracasadas las maniobras para la adquisición por compra de la Isla, Washington decidió recurrir a las armas para lograr sus propósitos. Y aprovechando la voladura del buque de guerra *U.S. Maine* en la bahía de La Habana, el congreso de los Estados Unidos en Resolución Conjunta del 20 de abril de 1898 le declaró la guerra a España. En ese documento, aunque se afirmó que Cuba debía ser libre e independiente, no se le reconoció beligerancia ni al Gobierno Revolucionario cubano ni al Ejército Libertador.

Aprovechando la confusión existente, las fuerzas mambisas continuaron y ampliaron su ofensiva. El 24 de

---

[66] Cit. por Pérez, op. cit., pp. 169-170. El énfasis es nuestro.

abril el General Calixto García dirige al Secretario de la Guerra esta comunicación: "Ayer 23 el General Saturnino Lora y el Mayor General Jesus Rabí ocuparon la villa de Jiguaní... Hoy ordenó el General Rabí al General Lora ocupase el poblado de Santa Rita. Yo ordené al Coronel García... marchase sobre Bayamo, tirotease el pueblo, y al abandonarlo el enemigo, que espero lo hará mañana o pasado, le pique la retaguardia. El Coronel Fernández de Castro marcha sobre Cauto el Embarcadero con el mismo objeto. El General Cebreco sobre Palma Soriano. El General Menocal, Jefe de la Columna Volante, sobre San Andrés, jurisdicción de Holguín. Ordeno concentración de fuerzas Primero y Segundo Cuerpos, para marchar sobre Santiago de Cuba, Holguín y Manzanillo, según lo crea conveniente..." [67]

El 29 de abril de 1898 Calixto García se dirigió al Secretario de la Guerra para decirle: "Tengo el honor de comunicarle que en el día de ayer, a las once de la mañana, he ocupado personalmente la ciudad de Bayamo, después de haber atacado dos o tres veces al enemigo en su retirada y mientras estuvo alternativamente en la población." [68]

Al día siguiente su comunicación al Jefe del Ejército, General Máximo Gómez rezaba: "Tengo el honor de comunicarle que el día 23 de los corrientes evacuó el enemigo la villa de Jiguaní y el 24 la de Santa Rita. También en esos días abandonaron los campamentos de Aguacate y La Piedra. Todas han sido abandonadas bajo el fuego nuestro. La Zanja, en el sur de las Tunas fue abandonada el día 22 y también lo ha sido el poblado de Guayabal, al Sur de Camagüey. El día

---

[67] Aníbal Escalante Beatón, op. cit., p. 371.

[68] Ibid.

28, a las once del día ocupé la ciudad de Bayamo, batiendo al enemigo mientras salía de ella y desde entonces estoy acampado aquí, ordenando lo conveniente para marchar con todas nuestras fuerzas sobre los pueblos de la costa. Los fuertes de Bayamo a Cauto el Embarcadero han sido abandonados y a ese pueblo lo mismo que los fuertes del río y Bueycito y Veguita están preparándose para dejarlos también. Las poblaciones todas han sido ocupadas con el mayor orden y en todas se han encontrado provisiones para varios días. Rápidamente se organiza en ellas los servicios más indispensables, y se nombran las autoridades más necesarias." [69]

Lo más espectacular de todo esto, desde luego, es lo de Bayamo, cuna de las libertades cubanas. Pone muchas cosas en claro. Cuando Rowan, enviado por el ejército norteño para encontrarse con Calixto García, llega a Cuba, fue conducido, con todas clases de facilidades por tropas cubanas hasta el Cuartel General del Jefe del Ejército en Oriente. Y este Cuartel General no estaba en un rincón oculto de la manigua. Se encontraba en Bayamo, una de las ciudades más importantes de Oriente, básico centro de comunicaciones, donde se mantenían los cubanos sin que los españoles intentasen siquiera recuperarlo.

Un resumen excelente de la situación militar de Cuba en las vísperas de la intervencion militar norteamericana es éste del General Enrique Collazo:

"El Departamento oriental de la Isla, es decir, el comprendido entre la Trocha de Júcaro a Morón y Punta Maisí puede decirse que estaba en su inmensa mayoría en poder del ejército de Cuba, lo que se comprueba viendo que a pesar de su extenso territorio los españoles no ocupaban más

---

[69] Ibid., p. 375.

que los puntos siguientes al empezar el mes de mayo, fecha en que no habían intentado aun desembarcar los americanos:

"Ocupaban los españoles la línea militar de Júcaro a Morón y en el resto de Camagüey, las poblaciones de Puerto Príncipe, Nuevitas y además la vía férrea entre ambas poblaciones cubierta con pequeños block-houses; en las jurisdicciones de Tunas, Bayamo, Manzanillo y Jiguaní, no conservaban más que sobre la costa la ciudad de Manzanillo; en las de Holguín, Mayarí y Sagua de Tánamo, poseían Holguín, Gibara y la vía férrea entre ambas poblaciones; en Baracoa, solamente la ciudad; en Guantánamo, esta villa y las inmediaciones de la bahía comprendiendo una pequeña zona; y en Santiago de Cuba, la ciudad, la vía férrea a San Luis, Palma Soriano y, por el este, sobre la costa, la región minera hasta Daiquirí.

"En el Departamento Occidental, es decir, el territorio comprendido desde la trocha del Júcaro a Morón y el cabo San Antonio, se sostenían las dos fuerzas contendientes, ocupando los españoles todos los pueblos, ciudades, caseríos y algunas vías férreas que sostenían su circulación; pero el ejército cubano ocupaba todo el territorio en el campo, moviéndose siempre, batiéndose a diario, molestando continuamente a los españoles, de los cuales puede decirse que vivían, costándole cada bocado de comida un riesgo o un combate, especialmente en las jurisdicciones de Matanzas, La Habana y Pinar del Río, con más desahogo en Las Villas, donde estaba el General en Jefe Máximo Gómez, el que después de hacer infructuoso el esfuerzo de Weyler y sus cuarenta batallones permanecía en el territorio de donde no pudieron hacerlo salir.

"El ejército cubano, podía calcularse, tenía sobre las armas y en activo servicio 25.000 hombres, número que podía duplicar con rapidez, al recibir armamentos, como lo indica el General García en las instrucciones que mandó a Washington; contando además gran número de auxiliares del ejército, en sus talleres, hospitales y empleos civiles; hombres que en su mayoría eran útiles para las armas." [70]

Evidentemente se había producido la situación prevista por Cleveland en su mensaje al Congreso. Cada día era más evidente "la imposibilidad por parte de España de dominar la insurrección", cada día se ponía más de manifiesto que la soberanía de España estaba "prácticamente extinguida". Cada día era más ostensible que los cubanos se aproximaban a la victoria mediante el uso exclusivo de sus propias fuerzas. Eso Washington no podía permitirlo. La fruta estaba madura. Había arribado la hora de sacudir el árbol. Cuando las tropas norteamericanas desembarcaron en Cuba el 20 de junio de 1898, los cubanos tenían literalmente a España contra la pared. El águila encontró en el teatro de operaciones un león desvencijado, al que los mambises habían despojado de sus garras y sus dientes. Por eso la campaña duró sólo tres semanas. Los Estados Unidos derrotaron en Santiago de Cuba a una nación ya vencida.

No podemos entrar aquí en detalles sobre los acontecimientos militares que pusieron fin a la dominación española en Cuba. Ni siquiera podemos esbozar el importante tema de la ayuda decisiva prestada por el Ejército cubano al norteamericano en Oriente. Bastará reproducir las palabras de reconocimiento que dirigiera el Jefe del ejército norteño, Ge-

---

[70] Enrique Collazo, *Los Americanos en Cuba*, vol. 1, La Habana, 1905, pp. 188-189.

neral Miles, a la Convención Constituyente Cubana, en marzo de 1901: "Os felicito por la campaña soberbia de vuestro ejército. Vosotros conocéis las hazañas del nuestro; pero deseo atestiguar que yo presencié el valor indomable del vuestro, a las órdenes del General García. Con seis mil hombres cerró el paso a más de veinte mil del ejército español e impidió que pudieran socorrer a Santiago de Cuba. La otra parte de sus fuerzas, unos cuatro mil hombres, atacó con tal actividad que merece gran parte de la gloria del éxito." [71]

A pesar de todo esto, desde el primer instante, las autoridades norteamericanas tomaron medidas que resultaban ofensivas para los cubanos, como por ejemplo la famosa prohibición de Shafter a Calixto García de que entrara con sus tropas en Santiago de Cuba. La política de la *fruta madura*, tras un siglo de espera, entraba en acción.

En el trato que las fuerzas armadas de los Estados Unidos dieron al Ejército Libertador -mayoritariamente formado por negros y mulatos, sobre todo en la provincia de Oriente, donde se desarrolló la Guerra Hispano-Cubanoamericana- se mezclan, por partes iguales, el prejuicio racial y el propósito imperialista proveniente de Washington, de desconocer en lo absoluto a las autoridades civiles y militares de la Revolución. No pueden leerse hoy sin indignación muchos de los reportajes periodísticos e informes oficiales transmitidos desde Cuba a Norteamérica durante el conflicto. La pobreza y hasta ausencia de uniforme, la escasez de calzado y, sobre todo, el color de los soldados mambises pesaban más en el ánimo de los periodistas y jefes militares norteños que

---

[71] Véase a este respecto la obra de Felipe Martínez Arango, *Cronología Crítica de la Guerra Hispano-Cubano-Americana*, La Habana, 1950, passim.

el heroísmo y la capacidad de combate y sacrificio de esas tropas que, inferiores en número y armamentos, habían logrado derrotar al ejército español cuando los Estados Unidos intervinieron para alzarse con los frutos de su victoria. [72]

Si Cuba no es hoy una colonia norteamericana se debe únicamente al fuerte movimiento de oposición que la política intervencionista de los Estados Unidos encontró en nuestro país al terminar el conflicto, a los compromisos que el Gobierno estadounidense había contraído con la opinión pública mundial al aprobar la Resolución Conjunta y a la simpatía con que el noble pueblo norteamericano, pese a todas las propagandas negativas, supo mirar la causa de la independencia de Cuba.

Como ha dicho Ramiro Guerra: "El heroísmo anónimo, el noble desinterés, la impávida bravura del harapiento pero indomable mambí cubano, desafiando una obscura muerte en la manigua, en lucha desigual, a cada momento del día, sólo por reivindicar el decoro del hombre, conquistar la independencia de la patria y fundar una república generosa, cordial, con todos y para todos, según el evangelio de Martí, tenían que inspirar, y necesariamente inspiraron, profundo respeto a los neutrales que observasen de cerca la lucha y conociesen el noble espíritu y la obscura grandeza de la misma." [73]

En consecuencia, la firmeza revolucionaria, el estupendo vigor patriótico de la guerra de independencia de Cu-

---

[72] Más detalles sobre este aspecto de las relaciones cubano-americanas pueden encontrase en Jorge Castellanos e Isabel Castellanos, *Cultura Afrocubana*, vol. 2, pp. 294 y ss. Sobre la crisis de la conciencia cubana de 1902 a 1940: Ibid., pp. 331 y ss.

[73] Ramiro Guerra, op. cit., p. 172.

ba, al ganarse las simpatías de los elementos más puros de la sociedad norteamericana, constituyeron obstáculos infranqueables para los propósitos imperialistas de quedarse con la Isla después de 1898. Washington tuvo que recurrir a la Enmienda Platt para asegurar su dominio sobre el país. Pero no pudo impedir el triunfo histórico que para el futuro cubano significaba la constitución de la República de Cuba en 1902. Aunque mediatizada, la República representaba un paso de avance sobre la Colonia. Y un firme punto de apoyo para la lucha posterior por la liberación nacional y el progreso patrio.

Impulso vigente

La intervención de Estados Unidos en el conflicto hispano-cubano cambió totalmente el rumbo político de Cuba. La República que surgió a la vida el 20 de mayo de 1902 distaba bastante del ideal martiano. En muchos de sus puntos fundamentales, el programa liberador del 24 de febrero de 1895 no se llevó a la práctica. Pronto lo mejor del patrimonio nacional se encontraba en manos norteñas: las tierras más fértiles; las vías de comunicación y transporte más importantes; la primera industria del país: la azucarera; las minas; las fuentes de energía eléctrica. El comercio se desvió casi totalmente hacia los mercados del Norte. El monocultivo y la monoproducción se entronizaron en la economía. Los gobiernos que se sucedieron en el poder estaban atados a la voluntad del State Department. La igualdad racial no se logró. Y las grandes masas campesinas y negras que integraban la mayoría abrumadora del Ejército Libertador se encontraron después de la victoria tan empobrecidas y discriminadas y marginadas del poder como "en tiempo de España", mientras los comerciantes hispanos (merced a los artículos del Tratado de París, de cuya negociación los cubanos fueron excluídos) conservaron intactas sus riquezas y su influencia. Era como para entonar un Eclesiastés...

Y, efectivamente, vencidos por el pesimismo, debilitados en su médula, los sectores más influyentes de las clases dominantes cubanas, se entregaron casi sin lucha en manos del extranjero. Y buena parte de la intelectualidad, desorientada y confundida, perdió por un buen rato también el camino. De ahí esa tendencia entre cínica y burlona, escéptica y escapista, que domina el panorama literario de los comienzos de siglo. De ahí ese abstencionismo, ese impulso al aislamiento y a la torre de marfil que frustró tantas vocaciones ilustres en el mundo del arte y mató tantas apetencias patrióticas en el terreno cívico. Es esta, no se olvide, la era del *laissez-faire*, del dejar hacer y dejar pasar, de la fatiga de quienes huyen de la acrópolis para refugiarse en la capilla y el campanario.

El optimismo que caracterizaba a los hombres de la Revolución y del Destierro es sustituído en los escritores formados en la década anterior a la Primera Guerra Mundial por una visión amarga y sombría de la realidad patria. Uno de ellos -y, por cierto, de los mejores- Luis Rodríguez Embil traza el cuadro espiritual de esa hora en estas palabras: "Vivíamos sin fe en nosotros mismos, primariamente de dos abstracciones, ambas admirables, pero ajenas a nuestro íntimo ser: Grecia, Francia... Si algún credo realmente poseíamos y alguna actitud tomábamos, eran sobre todo estéticos... Nosotros fuimos en nuestra desorientación de fondo, pesimistas con Schopenhauer, adoradores después por moda del superhombre de Nietzsche, es decir, pesimistas, heroicos y amargos sin haber vivido..." [74]

Ese desencanto, ese escapismo, esa evasión de la llamada "promoción de 1910" (además de Rodríguez Embil: Rubén Martínez Villena, Andrés Núñez Olano, Ramón Rubiera, Regino Pedroso, María Villar Buceta, Jorge Mañach, Juan Marinello, Enrique Serpa, Rafael Esténger y muchos más) contenía en semilla la reacción salvadora y positiva. Porque, como sucedía con la actitud parecida de los modernistas antes que ellos (Regino Boti, José Manuel Poveda, Agustín Acosta, etc.) la retirada a la torre de marfil representaba una protesta y una condenación contra la decadencia moral que los rodeaba y un empeño de superarla mediante la creación original y transformadora.

Y no sólo los intelectuales, que -pudiéramos decir- ocupaban la vanguardia, sino muchos otros sectores del país, con dificultades y caídas, pero con incesante empeño de avance y reparación, iniciaron un informe pero sostenido esfuerzo de reconstrucción nacional, que se hizo muy evidente en los comienzos de la década de los Veinte. En las artes, las letras, la economía, la sociedad en general, un nuevo espíritu se empeña por reformar y mejorar la situación del país para colocarlo a la altura del nuevo siglo y de su viejo y hermoso pasado histórico. Ya en 1919 lo había profetizado Fernando Ortiz en su inexorable estudio de la crisis cubana: "No debemos desesperar. Acaso caigan pronto, más pronto de lo que el pueblo imagina, los ídolos carcomidos; y la juventud cubana podrá dar a la patria un porvenir realmente liberal, sanamente liberal, por siempre liberal. ¡Tengamos fe! Creemos en el vigor de la juventud cubana que se apresta a

---

[74] Revista *Lyceum*, Noviembre, 1950.

recibir la sagrada herencia de la generación vieja... Y es en la juventud nuestra más firme fe..." [75]

Año clave de este proceso fue 1923: año de la Protesta de los Trece contra la corrupción del gobierno de Zayas y del manifiesto que la explicó; del nacimiento del Grupo Minorista; de la creación de la Federación Estudiantil Universitaria y del Primer Congreso Nacional de Estudiantes en demanda de reforma educacional; de los primeros manifiestos del movimiento feminista... Los que seguían hablando de la "decadencia cubana" reciben contundente respuesta en un libro epocal de Ramiro Guerra, donde se exponen los enormes avances económicos y sociales del país. Y donde se concluye: "Con el mayor respeto para opiniones ajenas, creemos que no hay tal decadencia y nos atrevemos a afirmar que nadie en Cuba cree en ella sinceramente. Hay sí, disgusto por la poca eficacia de la acción de nuestros gobiernos, y hasta estancamiento y aun retroceso en algunos sectores; pero en general el país progresa y no está descontento de sí mismo ni de la enorme labor que ha realizado. Juzgando imparcial y serenamente, nadie podrá negar que el pueblo cubano ha rendido una tarea colosal, luchando contra dificultades enormes..." [76]

Un grave tropiezo en el camino fue el fracaso sufrido por el pueblo con el gobierno de Gerardo Machado. Este, en un programa de Regeneración, había prometido reformas sustanciales en lo político, lo económico y lo social, incluyendo la gestión de ponerle fin a la Enmienda Platt. Elevado

---

[75] Fernando Ortiz, *La Crisis Política Cubana: sus Causas y sus Remedios*, La Habana, 1919, p. 21.

[76] Ramiro Guerra, *Un Cuarto de Siglo de Evolución Cubana*, La Habana, 1924, p. 11.

al poder en 1925, Machado tuvo un comienzo positivo. Tomó importantes medidas de proteccionismo económico (como la tarifa de 1927) e inició un amplio programa de obras públicas (sobre todo la construcción de la Carretera Central). Pero no puso fin a la corrupción administrativa y traicionó los aspectos políticos de su plataforma, recurriendo a los peores procedimientos de ilegalidad y violencia para reelegirse y prorrogar su mandato. El resultado fue la violentísima crisis política de 1930-1933, agravada por la crisis económica más honda de nuestra historia.

En realidad toda la década de los Treinta está marcada por un combate continuo entre el pasado y el futuro, entre la recidiva colonial que se niega a desaparecer y el espíritu del 95 que se mantiene vivo en la esperanza. Se produce, en la política, un cambio de la guardia. Después del fracaso de Menocal y Mendieta en Río Verde, la nueva generación se coloca en la vanguardia. El viejo programa del 24 de febrero se adapta a las nuevas circunstancias. Y así surge lo que pudiéramos llamar la Plataforma de la Generación del Treinta.

No bastaba con acabar con la dictadura y establecer la democracia. Había que recobrar la soberanía: abolir la Enmienda Platt y redifinir muestras relaciones con los Estados Unidos, estableciéndolas sobre bases de igualdad y respeto mutuo. Había que eliminar el latifundismo, dándoles a los campesinos acceso a la tierra; que diversificar la producción agrícola e industrial, reconquistando la riqueza de manos extranjeras; que eliminar los monopolios de los servicios públicos; que establecer una distribución más justa de los ingresos nacionales. Había que levantar una Cuba Nueva sobre la base de la democracia, la igualdad, la libertad política y la justicia social. Como dice con acierto Fernando Portuondo se "aspiraba a completar la realización del programa enunciado por Martí en el Manifiesto de Montecristi."[77]

Tras diez años de intensa lucha, esa campaña culminó con la Asamblea Constituyente de 1939 y la Constitución de 1940, que fue no sólo el cimiento de una nueva organización gubernamental, sino también la concreción, en promesa de inmediato cumplimiento, del programa de la Generación del Treinta, tanto en lo político como en lo social. No podemos entrar aquí en los detalles. Contemplando la realidad cubana entre la caída de Machado en 1933 y la toma del poder por Fidel Castro en 1959 se hace evidente que estamos ante un cuarto de siglo de grandes cambios en la vida económica y social del país, de cambios tan profundos que bien merecen ser llamados *revolucionarios*. Puesto que tanto el régimen castrista como gran número de historiadores extranjeros que se tildan de "objetivos" han desconocido sistemáticamente esta verdad histórica, nosotros hemos llamado a este período la era de la *Revolución Olvidada*. [78]

Es éste un momento de intenso pero sano nacionalismo. La extensión de las vías de transporte y de comunicación fortalece la integración nacional. La conciencia pública demanda enérgicamente la defensa de la soberanía patria. Y en este terreno se obtienen importantes victorias. En 1934 se logra la abolición de la Enmienda Platt y, con sus altas y

---

[77] Portuondo, op. cit. p. 610.

[78] Véase: Jorge Castellanos, "La Revolución Olvidada", *Cuba Nueva*, vol. 1, No. 2, abril; 1, 1962, pp. 25-31. También el documentado ensayo de Leví Marrero, "Cuba en la Década de 1950: un País en Desarrollo", en la tercera edición de su clásica *Geografía de Cuba*, New York, 1966, pp. XV-LVIII, reproducido luego en *Cuba: la Forja de un Pueblo*, San Juan, 1971, pp. 19-68.

sus bajas, hay un serio intento de establecer las relaciones con los Estados Unidos sobre bases de mutuo respeto. La política de afirmación nacional se refleja poderosamente en el desarrollo económico, que es notable, sobre todo, a partir de la terminación de la Segunda Guerra Mundial.

En 1958 el ingreso nacional bruto, según cifras del Banco Nacional de Cuba, se elevó a $2.206.400.000 (en esa fecha el peso cubano estaba cotizado 2 centavos por encima del dólar). [79] El ingreso nacional per cápita era uno de los más altos de los países en desarrollo. A este respecto, Cuba ocupaba el segundo lugar en Latinoamérica y superaba a varios países europeos, incluyendo a la Unión Soviética. Este progreso era resultado no sólo del avance de la industria azucarera sino de un vigoroso y sostenido aumento en la producción para el consumo interno, lo que equivalía a un intenso proceso de diversificación industrial. En 1958 el valor de los ingresos azucareros fue de $507.200.000, lo que representa nada más que un 23 por ciento del producto nacional bruto. En la misma fecha las cuatro quintas partes de las tierras en producción se dedicaban en Cuba a tareas agrícolas ajenas a la cosecha de la caña de azúcar.

Al mismo tiempo se produce una recubanización muy seria de la economía. En 1930 las inversiones norteamericanas en el país se elevaban a $1.066.000.000, cifra que descendía a $861.000.000 en 1958. El proceso es particularmente visible en la industria azucarera. Los 56 ingenios de propiedad cubana que existían en 1939 produjeron el 22 por ciento de la zafra de ese año. En 1958 los ingenios cubanos

---

[79] Las cifras en pesos y dólares que siguen no estan ajustadas al fortísimo proceso inflacionario que ha tenido lugar en los últimos veinte años. Adaptadas a las de hoy, serían mucho más altas.

eran ya 121 y produjeron el 62 por ciento del total de la zafra. A la inversa, en 1939 los ingenios de propiedad norteamericana eran 66 y produjeron el 55 por ciento de la zafra. En 1958 el número de ingenios norteamericanos se había reducido a 36 y produjeron el 37 por ciento del total. Los ingenios que pertenecían a personas o entidades de otras nacionalidades (52 en 1939) producían en ese año el 23 por ciento de la zafra. En 1958, en esa categoría había sólo 4 ingenios que producían el uno por ciento del total.

No podemos entrar aquí en un estudio detallado de los grandes cambios provocados por la *Revolución Olvidada*.[80] Sólo queremos resumir indicando que este período se caracteriza por tres hechos capitales. En primer lugar, tiene lugar un crecimiento económico vertiginoso que colocó a Cuba en la etapa que W. W. Rostow denomina el *despegue* hacia la etapa de madurez económica que caracteriza a los países desarrollados. La formación interna neta de capital alcanzó en Cuba el 15.5 por ciento del ingreso nacional en 1957 y en 1958 el 13.5 por ciento. Como apunta Leví Marrero: "Ambos porcentajes superaban ampliamente el 10 por ciento mínimo señalado por Rostow como suficiente para alimentar el proceso de desarrollo autónomo de una economía nacional." [81] En segundo lugar, se produce la notable

---

[80] Véanse más datos en Castellanos y Castellanos, *Cultura Afrocubana*, vol. 2, pp. 390 y ss. También en Juan Clark, *Cuba: Mito y Realidad: Testimonios de un Pueblo*, Miami-Caracas, 1990, pp. 20 y ss. Y en el ensayo citado de Leví Marrero.

[81] Marrero, op. cit. pp. 64-65. Según Juan Clark (op. cit. pp. 594-95) revisiones ulteriores del concepto de "despegue" de Rostow indican que éste mantiene su validez teórica y sigue siendo muy utilizado por los economistas y los historiadores de la economía. Sobre esto véase el artículo

cubanización de la economía que arriba indicamos. Y en tercer término, hay una distribución mucho más equitativa del producto nacional. La clase obrera, algunos sectores agrarios (como los colonos) y, en general, las clases medias, mejoran mucho sus ingresos. Y este beneficio económico se ve acompañado de un reconocimiento muy amplio de los derechos de todos los sectores sociales, incluyendo las mujeres y los negros. Y por un avance muy perceptible, tanto en cantidad como en calidad en el terreno de la educación, de la cultura y de la salud.

No quiere esto decir que Cuba hubiese resuelto todos sus problemas. Por ejemplo, aun quedaba mucho por hacer por hacer en el agro. Bastante había que andar para dotar al campesino de viviendas adecuadas, liquidando los antihigiénicos bohíos en que tantos de ellos todavía vivían; para reducir su elevado índice de analfabetismo; para mejorarle su atención médica y sanitaria; para abrirle más y mejores vías de comunicación con los centros urbanos; etc. Eso, sin contar con la imperiosa necesidad de poner fin al empleo estacional, sobre todo de los obreros agrícolas de la caña, que dejaba inusada tanta energía humana utilizable. Todo esto es cierto. Pero es verdad también que el *despegue* de la economía nacional hacia el desarrollo así como el empeño de justicia social que en Cuba prevalecía desde 1940, iban abriéndole el camino a históricas soluciones que ya se anunciaban en el horizonte. El programa del 24 de febrero de 1895, adaptado a las realidades del siglo XX, iba cumpliéndose en lo esencial paso a paso. La irrupción del comunismo puso fin a esas brillantes perspectivas.

---

de Barry Supple "Revisiting Rostow" en *The Economic History Review*, Vol. 37, Febrero de 1984, pp. 107-114.

En un sector importantísimo de la vida social, el político, los avances eran tan lentos que a veces, a ese respecto, el país parecía más bien retroceder. Es cierto que, entre 1940 y 1952, se había logrado la continuidad del ritmo constitucional y tres presidentes habían sido elegidos democráticamente. Pero dos graves males corroían el meollo de esa débil democracia, tanto en el primer período presidencial de Batista como en los Auténticos que le siguieron. En primer lugar, el gangsterismo político que impedía la paz cívica. Pero, además y sobre todo, el peculado, la corrupción administrativa en gran escala, que se extendía como una lepra por todo el tejido social, alcanzando no sólo a los gobernantes de alto y bajo rango y a los miembros del ejército y la policía, sino también -a veces obligados a ello por las circunstancias- a los hombres de negocios y otros estratos de la vida cubana. En los dos últimos años de su gobierno, el Presidente Carlos Prío Socarrás -hay que decirlo, porque es la verdad- intentó contener esta ola de libertinaje que había producido una peligrosa reacción de profundo escepticismo, enorme pesimismo y delirante demagogia en el país. Nombró varios ministros de probada honradez y capacidad e implementó numerosas leyes complementarias de la Constitución del Cuarenta, tales como la del Tribunal de Cuentas y del Tribunal de Garantías Constitucionales y Sociales. Pero esos esfuerzos se vieron cortados por el golpe de estado del general Fulgencio Batista el 10 de marzo de 1952.

El gobierno de Batista no sólo destruyó la débil fábrica de la democracia cubana, sino que continuó, alentó y elevó a límites nunca vistos en Cuba la corrupción política y administrativa. La oposición casi unánime de la opinión pública a este régimen espurio condujo a un período de enorme violencia y de caos, ante la imposibilidad de darle salida pacífica a la situación. Las conspiraciones y contragolpes se sucedieron sin cesar, provocando sangrientas represiones de parte del régimen dictatorial. El más sonado de estos actos de rebelión fue el fallido ataque al Cuartel Moncada de Santiago de Cuba el 26 de julio de 1953. Su máximo dirigente, Fidel Castro, que fue hecho prisionero y condenado a 25 años de prisión (aunque de hecho sólo cumplió 20 meses de su condena, al ser amnistiado) se convirtió, de la noche a la mañana, en el más destacado líder oposicionista de la nación.

Como bien se sabe, el 2 de diciembre de 1956, Fidel Castro, que se había exiliado en México, desembarca en la provincia oriental con un grupo de sus partidarios. Comienza así una lucha guerrillera que, gracias a la incapacidad militar y la corrupción de Batista y el apoyo masivo de las masas urbanas y rurales al programa ostensible de los rebeldes, culmina en la huida del dictador y el advenimiento al poder del movimiento 26 de julio el día primero de enero de 1959. El enorme júbilo popular que estos hechos provocaron, demostraba que el país confiaba en que iba a entrar en una nueva fase de democracia y progreso. Las numerosas promesas del nuevo líder, desde su discurso de 1953, titulado "La Historia me Absolverá", hasta sus manifiestos, proclamas y entrevistas en la Sierra Maestra, lo presentaban como un defensor de la Constitución del Cuarenta, de la celebración inmediata de elecciones libres y democráticas, de la afirmación de la soberanía nacional y de la implantación de una serie de reformas sociales, dentro del marco constitucional y del régimen político-social que éste establecía y protegía. El espíritu del 24 de febrero parecía renacer de sus cenizas.

Como es bien sabido también, Fidel Castro y su Movimiento 26 de Julio rápidamente traicionaron esas promesas y ese espíritu y establecieron en Cuba un régimen totalitario que sustituía la democracia por la dictadura, las elecciones por el dominio de la demagogia y la violencia y el programa demoliberal de Martí por el comunista de Marx, Lenin y Stalin. En el 95 Martí pedía libertades cívicas, pero el fidelismo acabó con la prensa libre, con la educación libre, con la literatura y el arte libres, estableciendo el monopolio estatal sobre todos los medios de comunicación y cultura y castigando con el paredón y el presidio a quienes osasen a alzar su voz en contra de esos desmanes. En el 95 Martí pedía independencia nacional, pero el fidelismo sometió el destino de Cuba al poderío de la Unión Soviética, sirviéndole de condottiere en sus aventuras colonialistas en América y en Africa, provocando en una ocasión una crisis que por poco hunde al mundo en la guerra atómica. En el 95 pedía Martí tierra para el campesino, pero el fidelismo prácticamente ha eliminado al campesino independiente del panorama nacional. En el 95 Martí pedía diversificación productiva, pero el fidelismo ha hundido más y más a Cuba en el monocultivo y la monoproducción. En el 95 Martí pedía el control sobre los monopolios, pero el fidelismo ha establecido un monopolio estatal único sobre todas las fuentes de riqueza agrícola, industrial y bancaria. En el 95 Martí defendía un régimen de libre empresa aliado con la justicia social, pero el fidelismo ha eliminado la iniciativa privada en la industria, el comercio, la banca y cualquier otro tipo de actividad productiva, colocando al individuo bajo el dominio total, totalitario, del Estado comunista y, en la práctica, de la voluntad autocrática del jefe absoluto de ese Estado. En el 95 Martí, fiel a su raíz filosófica krausista, propugna la armonía social regida por la justicia y busca el equilibrio entre los factores diversos de la nacionalidad, pero el fidelismo, fiel a su marxismo-leninismo, establece una sociedad exclusivista regida por el odio de clases, y aniquila todos los sectores sociales arbitraria y antimartianamente excluídos por él de la fórmula nacional.

El resultado ha sido el desastre que confronta hoy Cuba, hundida en la peor crisis económica, social y ética de toda su historia. Fidel Castro unió su destino al del comunismo soviético y, por varios años compensó, con los subsidios que recibía de su patrono extranjero, el desbarajuste de su flagrante desorganización económica. Al desintegrarse la Unión Soviética y su imperio al comenzar la década de los 90, nuestro país literalmente se ha hundido en el marasmo. Desde los tiempos de la Reconcentración weyleriana, a fines del siglo pasado, no sufría Cuba de semejante situación de escasez, de miseria, de hambre, de caos y desesperación. Sólo por el terror puede mantenerse en pie ese sistema regresista, reaccionario, ineficiente y absurdo. Nunca el espíritu del 24 de febrero se ha visto tan afrentado, tan escarnecido.[82]

Por eso hoy, como en 1898, como en 1902, como en 1933, como en 1940, como en 1959, sigue vigente la plataforma del 24 de febrero. Al cumplirse el primer centenario de la gran fecha debemos estudiarla y evaluarla no sólo para satisfacer la curiosidad por nuestro pasado sino para extraerle las proyecciones de nuestro futuro. El tesón moral del pueblo de Cuba ha mantenido vivo por todo un siglo ese soplo de esperanza. Animados por él, con clara conciencia de sus

---

[82] Para un estudio objetivo y detallado de la desastrosa situación económica de la Cuba actual y su evolución histórica, véase el excelente libro de Juan Clark antes citado. Esta obra ofrece, además, un examen también objetivo y muy minucioso del sistema político y las persecuciones y arbitrariedades del régimen, así como de la situación de privilegio por él creado en favor de la "nueva clase".

logros y sus fracasos, debemos todos los cubanos trabajar por convertir en realidad el programa nacional de nuestros mayores y levantar sobre las ruinas del presente una patria nueva, libre, democrática y progresista. De ese modo, el impulso del 24 de febrero de 1895 acabará por realizar, en este momento agónico, su inapagable destino histórico.

Miami, enero-febrero de 1994.

LAS RAÍCES

TIERRA Y NACION

Diciembre de 1818. Un joven profesor habanero, el Padre Félix Varela, lee un discurso ante la Sociedad Patriótica. Es una pieza de ocasión: nada menos que un elogio de Su Majestad Fernando VII. De pronto, unas palabras inesperadas rompen la monotonía del colonial ambiente. Se ha producido el milagro. Un sentimiento inédito se hace verbo en la literatura cubana:

"La naturaleza puso en la entrada de un apacible golfo que baña los opulentos países del tesoro del Nuevo Mundo, una isla afortunada en que imprimió sus carismas. No quiso mandar a ella la víbora venenosa ni la cruel langosta; separó las fieras devoradoras como extrañas de la mansión de la paz; prohibió se acercasen el huracán furioso, el pesado granizo y la escarcha destructora; al mismo rayo le puso justos límites; reprimió al volcán abrasador, para que no vomitara sus mortíferas lavas sobre el país de su cariño; hizo brotar ríos numerosos que serpenteando por los risueños prados comunican la fertilidad y se detienen de mil modos, pues parece que dejan con pesar un suelo privilegiado. El sol prometió acompañarla siempre, mas sin hacerla sentir los rigores que sufre el tostado africano. Por todas partes una tierra hambrienta convida al hombre a entregarle copiosas semillas, ofreciéndole pagar con usuras. Un mar benigno baña sus costas; y hendiéndolas por diversos parajes, forma puertos en que respeta las naves, como para convidarlas a que vuelvan. La miseria se ahuyentó hasta las heladas regiones, no hallando cabida en el país donde reina una eterna primavera. En esta isla deliciosa habita un pueblo generoso. Hijo de la abundancia, desconoce las pasiones que inspira la escasez. A él se acercan todas las naciones del orbe, y las luces adquiridas con este trato, no alteran sus nobles y sencillos sentimientos. Tal fue, Señores, la obra de la naturaleza."

Este elogio inusitado del suelo natal ha de marcar época. No puede sorprender a nadie que su autor fuera, pocos años después, uno de los primeros campeones de la independencia de Cuba.

Septiembre de 1825. Un joven poeta desterrado, José María Heredia, de tránsito entre Estados Unidos y México, contempla apoyado en la barandilla del barco cómo se esboza en lontananza, vaga, sutil, la imagen de su tierra cubana. Herido en lo más hondo, el poeta escribe unas estrofas desesperadas. Otra vez, el milagro:

> Cuba, Cuba, que vida me diste
> Dulce tierra de luz y hermosura...
> ....
> Te hizo el cielo la flor de la tierra...
> ....
> ¡Cuba! al fin te verás libre y pura

96

Como el aire de luz que respiras,
Cual las ondas hirvientes que miras
De tus playas la arena besar.
Aunque viles traidores le sirvan,
Del tirano es inútil la saña
Que no en vano entre Cuba y España
Tiende inmenso sus olas el mar.

He aquí otro instante epocal. ¿Qué ha sucedido? Sencillamente: el culto a la tierra natal ha iniciado en Cuba, tras los balbuceos inevitables, su ciclo de madurez. La Isla ha cobrado conciencia de su insularidad radical, orgánica. Y de su unidad, de su integridad territorial: receptáculo único de un pueblo recién nacido. Lo que antes era colonia va deviniendo nación. Y el suelo cobra inesperados valores de tierra madre. Es ella -lo asegura el poeta-, ella sola, quien "vida le dio". Es ella asiento del amor, del dolor y de la esperanza. Ella, mística y cercana, dulce flor, "aire de luz".

Dicho en otras palabras: el párrafo de Varela y los versos de Heredia nos informan de que está brotando con fuerza invencible en el panorama social de Cuba la comunidad de territorio, uno de los ingredientes fundamentales de la nación.

Desde luego, en la base misma de este proceso, encontramos otros de capital importancia. La historia de Cuba es la resultante de un doble movimiento de fuerzas contradictorias, pero íntimamente vinculadas entre sí. De un lado tenemos una encarnizada y sangrienta guerra entre las clases y las etnias: primero, indios vs. encomenderos; luego, negros esclavos vs. esclavistas españoles y criollos. De otro lado, encontramos la interpenetración de los grupos en conflicto, la transculturación afroespañola, que tras muy variadas peri-

97

pecias, va a culminar en la integración de nuestra nacionalidad.

No puede un pueblo proclamarse nación si no se dan en su seno cinco modos esenciales de comunidad humana: 1) conciencia de la tierra común (comunidad de territorio); 2) posesión de un idioma común (comunidad lingüística); 3) integración de una economía propia (comunidad económica); 4) aparición de una personalidad nacional (comunidad psicológica); 5) y, por último, una sintética y peculiar objetivación de la vida humana en una muy propia comunidad de cultura.

Desde luego, estos factores van surgiendo todos a la vez, influyéndose entre sí recíprocamente. Por eso resulta peligroso estudiarlos por separado. Pero el análisis es indispensable. De ahí que, corriendo todos los riesgos, abordemos aquí el examen de uno solo de los cinco factores integrantes de toda nacionalidad: la comunidad de territorio. Ya veremos, al final, como la parte puede llevarnos al todo.

***

Cuba no fue concebida como unidad territorial por ninguno de los tres complejos culturales prehispánicos que, hasta hoy, ha descubierto la Arqueología en nuestro suelo. De la organización social de las dos culturas más primitivas casi nada sabemos, en verdad. Los taínos, por su parte, no lograron superar la etapa tribal. Vivían en pequeñas aldeas, separadas por tupidos bosques, en los que apenas se insinuaban estrechísimos y caprichosos senderos. No es sino en el momento mismo de la conquista española cuando posiblemente se constituyen, para fines de común defensa, alianzas en forma de confederaciones de tribus.

Tampoco puede decirse que la comunidad territorial quede integrada en los siglos XVI y XVII. En esta época nuestra sociedad presenta un carácter eminentemente factorial. Aunque en la conciencia de Diego Velázquez y de otros pocos conquistadores tal vez hubiera propósitos de arraigamiento, no cabe duda de que pronto Cuba se convirtió en una *colonia de posición*. El país deviene trampolín desde donde la audacia salta a empresas de mayor calado histórico. No pasamos de punto de escala. De sitio de tránsito. España no ve en la Isla, en lo esencial, más que un puesto de valor estratégico, una posición llave que le aseguraba el dominio de las rutas comerciales entre el Nuevo y el Viejo Mundo. En la larga y sangrienta guerra por el dominio de los metales y los mercados, guerra impuesta por las concepciones mercantilistas del capitalismo naciente, Cuba jugaba un papel clave. Pero, aunque clave, no era nada más que papel de centinela. Nos íbamos haciendo la Llave del Nuevo Mundo y Antemural de las Indias. Por algo revoloteaban por estas costas los cuervos ilustres del corso internacional. Por algo están unidos inseparablemente a esta etapa de nuestra historia los nombres legendarios de John Hawkins, Francis Drake, Piet Heyn, Pieter Adriaenz Ita y Cornelis Corneliszoon Jol, alias *Pata de Palo*.

Que el Rey de España pensaba en Cuba fundamentalmente como *colonia de posición*, como tierra factorial, lo prueba este párrafo de una Real Cédula de 5 de mayo de 1587: "...A mi servicio conviene poblar y fortificar esa isla y especialmente en el puerto de ella por ser el más principal de las Indias y que más importa guardarse a causa de juntarse en ella las flotas de Nueva España y de Tierra Firme y proveerse de lo necesario para llegar a estos reinos, lo cual se podía hacer conque a esa Isla se llevase gente que rompiese y labrase la tierra de ella y hiciese otras labranzas con que se ennobleciera..." [1]

Tras la fugaz fiebre de oro de los primeros colonos, la economía cubana viene a asentarse sobre la ganadería y a tener como canales de intercambio el irregular comercio de las Flotas (economía que hoy llamaríamos turística) y el contrabando. El predominio de las ideas mercantilistas en la Europa de la época explica en buena parte este proceso. Pero tratar de analizarlo nos desviaría demasiado de nuestro propósito. La ganadería, como es bien sabido, demanda amplios espacios despoblados para pastos y poca mano de obra. Todo el progreso de Cuba está subordinado a esta realidad geoeconómica. El lentísimo avance de la población, durante los dos siglos en que fundamentalmente queda encuadrada la época factorial, constituye un índice que habla por sí solo. En 1608, a casi un siglo de la conquista, Cuba sólo tiene 20.000 habitantes (la mitad de ellos en La Habana): 0.18 habitantes por kilómetro cuadrado. En 1662 hemos alcanzado la cifra de 30.000, o sea, 0.27 habitantes por kilómetro cuadrado. En 1700 subimos a 50.000, es decir, 0.46 habitantes por kilómetro cuadrado. Sobra todo comentario.

A las siete ciudades fundadas por Velázquez, se agregan, durante los siglos XVI y XVII, apenas dos docenas de pequeños poblados, algunos de ellos en las costas, con vista al contrabando. En Oriente sólo tres villas nuevas aparecen en estos doscientos años: Holguín, El Caney y El Cobre. Los nuevos centros de población (todos modestísimos) son cuatro en Camagüey, uno en Las Villas, cuatro en Matanzas, nueve en La Habana y cuatro en Pinar del Río. Así se distribuían por todo el territorio de la Isla, sin comunicaciones

---

[1] Véase la *Apostilla* que aparece al final de este ensayo.

apenas entre sí, asediados por las incursiones piráticas, en sueño de medioevo, los 50.000 habitantes que en nuestro suelo vivían en el año 1700. Unos minúsculos, escasísimos puntitos moteaban levemente el mapa de la Factoría antillana. En resumen Cuba era por aquel entonces un pais vacío. ¿Cómo iba a surgir en estas tierras sin hombres la comunidad territorial?

Y, sin embargo, los embriones de un mundo nuevo van gestándose en la sombra. Desde luego, lo *cubano* va a tardar mucho tiempo en aparecer. Pero, lo *criollo*, lo nativo, da sus primeros vagidos. Ya en 1604 el proceso de diferenciación entre criollos y españoles andaba tan avanzado que el gobernador Pedro de Valdés, en carta al Rey, comienza a establecer distingos entre el espíritu peninsular y el de la *gente de la tierra*. Desde entonces los informes oficiales reconocerán a menudo la diferencia entre los hijos de la madre patria y los naturales o criollos. Y aludirán sin cesar a la rebeldía, al ánimo levantisco de estos últimos. Cuando en 1690 se intentó reprimir el contrabando en Camagüey y Bayamo, las protestas de los "naturales criollos" hicieron exclamar a la autoridad española que estos hombres "no conocen Señor en la obediencia... no temen castigos; refugiándose en el monte cuando se han intentado, incorporándose con sus armas en tal grado que ningún ministro (juez) halla arbitrio a su ejemplar castigo, por la imposibilidad." Dos años más tarde los bayameses contestaron el nombramiento inconsulto de alcaldes hechos por el Gobernador con un motín de tal intensidad que sólo pudo calmarse, afirman los documentos, "por haber sacado el cura el Santísimo Sacramento por las calles." Y, desde 1608, en nuestro primer monumento literario, el prosaico pero valioso *Espejo de Paciencia* del canario Silvestre de Balboa, podemos leer ya:

Luego pasó con gravedad y peso
un mancebo galán, de amor ardiente,
criollo del Bayamo, que en la lista,
se llamó y escribió Miguel Baptista.

Estas diferenciaciones, como es bien sabido, fueron acentuándose, a lo largo de los siglos y su expresión más elocuente la encontramos en estallidos que no son sino síntomas periféricos del proceso que corre por dentro: la sublevación de los bayameses; la insurrección de los vegueros un siglo después; las pugnas entre cubanos y españoles durante la defensa de La Habana del ataque inglés; los alzamientos, cada vez más frecuentes, de los esclavos; las reclamaciones, cada vez más insistentes, de la burguesía; las conspiraciones y movimientos revolucionarios y políticos que se suceden a intervalos más o menos regulares, hasta culminar en La Demajagua el Diez de Octubre de 1868.

Pero hemos adelantado más de la cuenta. Volvamos al siglo XVII. ¿Cómo afirmar que por este tiempo la comunidad de territorio apunta desde lo hondo de una criolledad en gestación? Es que el dato está ahí -síntoma indudable-: en las octavas del *Espejo de Paciencia* logran ingreso en el mundo del arte las frutas de la tierra, sencillamente enumeradas:

Mameyes, piñas, tunas y aguacates,
plátanos y mamones y tomates.

Y, por su parte, el Alférez Laso de la Vega, en uno de los sonetos introductorios que acompañan al *Espejo* intenta una descripción del paisaje cubano:

Dorada isla de Cuba o Fernandina
de cuyas altas cumbres eminentes
bajan a los arroyos, ríos y fuentes
el acendrado oro y plata fina.

Decididamente, las oscuras semillas preparan en el surco las mieles de sus flores futuras.

***

En el siglo XVIII la Factoría deviene Colonia. El azúcar le arrebata el cetro a la ganadería. Comienza la Danza de la Isla de Corcho. Los ingenios no llegan a 100 en 1700. Son -según Julio Le Riverend- unos 150 en 1730; 200, más o menos, en 1760. Y, al decir de Urrutia, 481 en 1780. La producción se eleva a más de 600.000 quintales, a fines de la centuria. El precio sube a más de veinte reales. Una nueva clase social hace acto de presencia en la tragicomedia criolla: la burguesía azucarera. La revolución industrial toca a nuestras puertas. Empiezan a ensayarse máquinas y métodos nuevos. Los hacendados se deciden a transformar el viejo aparato productivo para hacer frente a la demanda que la caída de Haití ha provocado en el mercado azucarero internacional. Un hacendado llega a experimentar hasta con un trapiche de viento. La nueva técnica pide nueva pedagogía. La nueva pedagogía exige nueva filosofía. La revolución cultural se inicia tras los muros del Seminario de San Carlos. La escolástica se bate en retirada ante la ofensiva erasmista y cartesiana del Padre José Agustín Caballero. Brotan Sociedades Económicas en Santiago y La Habana. Y la Junta de Fomento. Y el Papel Periódico. Y don Francisco de Arango y Parreño escribe su epocal *Discurso sobre la Agricultura de la*

Habana y medios de fomentarla. El país despierta. La nación empieza a integrarse.

El territorio se cubre poco a poco de humanidad. Los 50.000 habitantes iniciales de 1700 se han casi triplicado en 1759: son ya 140.000, o sea, 1.26 habitantes por kilómetro cuadrado. Quince años después el censo arroja 172.620, es decir, 1.55 habitantes por kilómetro cuadrado. En 1791 llegamos a 272.300, o sea, 2.44 habitantes por kilómetro cuadrado. Cuando dobla el siglo, andamos de seguro en los límites de los 300.000. La población se ha sextuplicado en cien años.

Y aunque las comunicaciones entre los pueblos siguen siendo infernales, aparece por esta época el correo interior. El hecho, importante en lo material e inmediato, todavía tiene más valor si se le mira como un símbolo de lo que va ocurriendo en el seno del país. El cuerpo en crecimiento exige contactos más frecuentes y fáciles entre sus partes. La tierra que se integra va creando, paso a paso, sus articulaciones. No es casual que fuera el Mariscal de Campo don Francisco Cagigal de la Vega quien, en 1754, desde su alto puesto de Gobernador damandara del Rey su autorización para establecer este servicio. Cagigal había sido Gobernador de Santiago y vivía en Cuba desde 1738. Conocía por propia experiencia los contratiempos del aislamiento, la necesidad del intercambio entre los dos extremos de la Isla. Después del acostumbrado papeleo, en 1756 comenzó a funcionar el servicio. La correspondencia era conducida por un individuo que, saliendo de La Habana todos los días primero, llegaba a Santiago de Cuba el catorce, o antes, si el tiempo era bueno, descansaba allí dos días y volvía el diez y seis, para estar en La Habana el 29. El correo cambiaba sus caballos en las haciendas del camino. Entregaba y recibía correspondencia en los pueblos intermedios. Cuando el 1 de marzo de 1756 el modesto funcionario de la posta emprendió su marcha desde La Habana con las primeras cartas de nuestro correo interior, muy lejos estaba de su mente el que con este acto sencillo, que pronto se haría rutinario, fuera a asentar una piedra -y no pequeña- en los cimientos de la comunidad territorial y, por ende, de la nacionalidad cubana. Pero así era. Que ahí, en el tuétano de lo vulgar y cotidiano, yace muchas veces el secreto de la grandeza y la vocación de lo extraordinario.

Comunicándose entre sí, las lenguas se entrelazaban. Los hombres iban barriendo las distancias, afirmando su voluntad todavía ciega pero ya inevitable de unificación.

Hora es, empero, que nos preguntemos: ¿qué gente es ésta que se extiende sobre la verde piel del cocodrilo antillano? En definitiva, gente de dos fuentes, masa de dos artesas: Europa y Africa; españoles y negros; castellanos, andaluces, extremeños, lucumíes, congos, carabalíes... En el horno del trópico, las dos masas se tuestan, salpicadas de especias de otras tierras, y se funden lentamente en una nueva pasta. Sonando el cuero mete el blanco esclavista la letra hispana en la lengua del negro esclavizado, pero éste se encarga de suavizarle al amo las zetas inclementes y de envolverlo en el ritmo caliente y sensual de su bongó. Bajo un sol de incendio, con una gran barrera clasista todavía por el medio, pero ya irremediablemente encaminados hacia la identificación nacional, blancos y negros danzan sobre la tierra ardiente, envueltos por la melaza de un música que pronto no va a ser ni africana ni española, de una música que empieza a anunciar la epifanía de un pueblo nuevo.

El sentimiento de lo cubano -afirma con su autoridad incontestable Fernando Ortiz- brotó antes en el barracón que en el palacio. La proximidad de la tierra cubana se le manifiesta primero al esclavo que al amo. No olvidemos que la patria no es sólo el país donde nacemos o donde vivimos, sino sobre todo el país donde queremos ser enterrados. "Los negros -dice Don Fernando- debieron sentir, no con más intensidad pero quizás más pronto que los blancos, la emoción y la conciencia de la cubanía. Fueron muy raros los casos de retorno de negros al Africa. El negro africano tuvo que perder muy pronto la esperanza de volver a sus lares y en su nostalgia no pudo pensar en una repatriación, como retiro al acabar la vida. El negro criollo jamás pensó en ser sino cubano. El blanco poblador, en cambio, aun antes de arribar a Cuba ya pensaba en su regreso. Si vino fue para regresar rico y quizás ennoblecido por gracia real. El mismo blanco criollo tenía por sus padres y familiares conexiones con la Península y se sintió por mucho tiempo ligado a ellos como un español insular. Nativos blancos de Cuba fueron en ultramar generales, almirantes, obispos y potentados... y hasta hubo catedráticos habaneros en la Universidad de Salamanca. Nada de eso pudo lograr ni apetecer el criollo negro, ni siquiera el mulato, salvo los pocos casos de hijos pardos de nobles blancos, que obtuvieron privilegio de pase transracial y real cédula de blancura. En la capa baja de los blancos desheredados y sin privilegios, también debió chispear la cubanía. La cubanía, que es conciencia, voluntad y raíz de patria, surgió primero entre las gentes aquí nacidas y crecidas, sin retorno ni retiro, con el alma arraigada a la tierra. La cubanía fue brotada desde abajo y no llovida desde arriba. Hubo que llegar al ocaso del siglo XVIII y al orto del XIX, para que los requerimientos económicos de esta sociedad, ansiosa de intercambio libre con los demás pueblos, hicieran que la clase hacendada adquiriera conciencia de sus discrepancias geográficas, económicas y sociales con la Península y oyera con agrado, aun entonces pecaminoso, las tentaciones de patria, libertad y democracia que nos venían de Norteamérica independiente y de Francia revolucionaria."

He ahí una honda verdad: la nación es como una gran ceiba que sube, no como un gran bólido que baja. Y, sin embargo, por razones obvias, por ser dueños de la cultura entonces disponible, por tener el monopolio de la letra, los círculos de la clase dominante van a ofrecer los primeros testimonios del sentimiento comunal que bajo sus pies se había ido elaborando.

A mediados del siglo XVIII, en el silencio de las noches habaneras, compone José Martín Félix de Arrate su obra: *Llave del Nuevo Mundo, Antemural de las Indias, La Habana nuevamente descripta.* Arrate pertenece a una familia vinculada a los cargos concejiles de la capital. Es miembro de la oligarquía municipal. Es un criollo de la capa alta, de la nata de la sociedad cubana de la época. Más que una obra histórica, Arrate escribe un libro de propaganda: un libro de amor a la tierra natal: una defensa de la patria inédita. Todo el primer capítulo titulado "Del descubrimiento de la Isla de Cuba y de su situación y excelentes cualidades", constituye una deleitada descripción del paisaje cubano: de sus ríos, de sus montes, de sus frutas y maderas, de sus yerbas y plantas odoríferas, de sus animales y sus plantaciones, de sus bosques y sus sabanas, de sus minas y aguas medicinales. Ante la belleza de nuestros campos se inspira así esta pluma precursora:

"Regístranse éstos (los campos), por lo general, repartidos o variados en unas llanuras alegres y unos collados hermosos, no muy eminentes pero de amenidad tan perpetua y verdor tan constante, que en ellos no se diferencia la primavera del estío ni el otoño del invierno, porque los bochornos del uno no los marchita, ni las heladas del otro los esteriliza; antes por el contrario el invierno en vez de escarcha los cuaja de nevadas flores, y el estío los enriquece de mieles y frutas..."

Aquí está el antecedente de Varela, el antecedente de Heredia. Porque, aunque hay mucho de habanerismo más que de cubanismo en la obra de Arrate, late en su prosa un sentimiento original hacia su tierra virgen: un amor apasionado por su rincón americano, que lo arrastra a discriminaciones y distingos que con el tiempo han de hacerse muy peligrosos. Al terminar su libro, Arrate inserta un soneto. Mala poesía, desde luego. Pero inestimable como documento. Dice así:

Aquí suelto la pluma ¡oh patria amada,
Noble Habana, ciudad esclarecida!
Pues si harto bien volaba presumida,
Ya es justo se retire avergonzada.

Si a delinearte, patria venerada,
Se alentó de mi pulso mal regida,
Poco hace en retirarse ya corrida,
Cuando es tanto dejarte mal copiada.

Mas ni aun así ha logrado desairarte;
Pues si tanto hijo tuyo sabio y fuerte
En las palestras de Minerva y Marte

Te acreditan y exaltan, bien se advierte
Que donde han sido tantos a ilustrarte,
No he de bastar yo solo a obscurecerte.

Nótese: la patria no es España. La Habana es la patria venerada. La tierra cercana envuelve esta poesía modestísima. Y la hace vibrar. La tierra cercana. No la ultramarina. Estamos al borde mismo de una nueva etapa en nuestra evolución de pueblo.

***

En el siglo XIX la Colonia deviene Nación. La economía se articula en un organismo dotado de vida propia. Los 400 ingenios de 1800 se multiplican. Son mil en 1827; mil doscientos en 1840; dos mil -según Pezuela- en 1860. La exportación de azúcares sube de casi dos millones y medio de arrobas en 1800 a veinte millones de arrobas casi justas en 1850. En 1850 las importaciones cubanas ascienden a 25 millones de pesos anuales. A idéntica cifra llegan, por esa fecha, las exportaciones. El tabaco, desestancado en 1817, progresa sin cesar en lo agrícola y lo industrial. El café se desarrolla a ritmo de fantasía. En 1800 exportamos 50.000 arrobas; en 1840, dos millones. La tierra se cubre. He aquí las cifras oficiales:

Año	Población	Habs. por Km2
1817	630.980	5.67
1827	704.487	6.34
1841	1.007.000	9.06
1861	1.357.800	12.22

Nuevas ciudades y pueblos puntean el mapa de la Isla. Cada ingenio y cada cafetal -no se olvide- crea un centro de población.

La tierra, por otro lado, se fracciona sin cesar. El agro queda vigorosamente constituído. La poderosa clase de los burgueses agrarios asume el liderato de la sociedad criolla. Las viejas trabas mercantiles van cayendo por tierra. En 1818 se concede la ansiada libertad de comercio. La revolución industrial cobra ritmo febril. En 1819 hace por primera vez un ingenio en Cuba su zafra completa con trapiches movidos a vapor. En ese mismo año la caldera mágica de James Watt mueve por primera vez un barco en servicio regular por nuestras costas. La revolución pedagógica se extiende. Al Padre Caballero siguen O'Gaván, Varela, Saco, Luz. Germinan, a un tiempo, en nuestro suelo, las semillas del Renacimiento y del Iluminismo. Los patricios del interior envían a sus hijos a La Habana a estudiar la nueva ciencia. Joaquín de Agüero, Carlos Manuel de Céspedes, Francisco Vicente Aguilera, Ignacio Agramonte, etc. etc., pasan por esta experiencia. Algunos de estos jóvenes no regresan al rincón paterno. Pero la mayoría lo hace, volviendo con una visión más amplia, más ancha, más integrada de Cuba. La patria chica se les inserta físicamente en la patria grande. Los lazos de la amistad, de la comunidad de intereses, de simpatía y amor se anudan con más fuerza. El territorio entero se vuelve común en la conciencia de todos.

Los caminos, sin embargo, siguen siendo pésimos. Lo reconoce, a mediados de siglo, el Capitán General Concha, en sus *Memorias*: "A excepción de alguna que otra calzada de poca extensión alrededor de La Habana, puede decirse que no hay un camino en toda la Isla, no conociéndose otros que las primitivas trochas abiertas a través de los espesos bosques, o los pasos que se han dejado siguiendo los linderos irregulares de las haciendas, que se hacen intransitables por las lluvias." Pero, a pesar de todo, las comunicaciones internas han mejorado notablemente en la primera mitad del siglo XIX. Por lo pronto, adelantándose a la metrópoli, se establecen en Cuba los ferrocarriles. En 1837 se inaugura el de La Habana a Bejucal, que al año siguiente llega ya a Güines. Luego, en la década de 1840 a 1850 se inauguran vías férreas que unen las zonas azucareras más importantes con los puertos de embarque: en 1843, la línea de Güines llega a Batabanó y de ella arranca un ramal hasta San Antonio, terminado en 1844, y otro a Guanajay, inaugurado en 1848. De Cárdenas, Júcaro y Matanzas se extendieron en 1838, 1839 y 1842, respectivamente, caminos de hierro al servicio de la industria azucarera. Y en el punto conocido por Unión de Reyes, desde 1848, quedó unido este sistema ferroviario matancero con el que ya funcionaba en la provincia de La Habana. En Camagüey, desde 1851, Puerto Príncipe se comunica con Nuevitas por ferrocarril. En Oriente, la primera vía férrea, que data de 1844, conecta El Cobre con Punta de Sal, en la bahía de Santiago de Cuba.

Las comunicaciones marítimas de cabotaje también crecen. Líneas de vapores comunican en la década del 60 a La Habana con Cárdenas; con Santiago de Cuba, siguiendo la costa norte y tocando en Nuevitas, Gibara y Baracoa; con Caibarién y Sagua la Grande; con Bahía Honda. Por el sur, un buen número de vapores -"buques de primera clase con todas las comodidades", nos asegura Hazard- enlazan a Batabanó con Cienfuegos, Trinidad, Manzanillo y Santiago de Cuba.

En 1853 se instaló la primera línea de telégrafos. Partía de La Habana y poco a poco se fue extendiendo en todas direcciones, integrando una red que, antes de 1868, ya unía entre sí las ciudades más importantes del país.

El servicio de correos también mejoró. El recorrido de La Habana a Santiago se realizaba dos veces por mes al comenzar el siglo XIX. Fue aumentado a tres en 1827 y a cuatro en 1836. En 1844 una carta tardaba ocho días en su viaje postal de Santiago a La Habana. Desde el 10 de julio de 1839 comienza a utilizarse el ferrocarril en nuestro país para conducir la correspondencia. Desde 1852 el correo general sale de La Habana dos veces por semana (ocho veces al mes) para Santiago de Cuba, usándose en parte del recorrido los caminos de hierro existentes y haciéndose el resto a caballo. A partir del propio año hay un correo diario de la capital al centro de la Isla. Y desde el primero de enero de 1857 queda establecido el correo diario entre La Habana y Oriente. Numerosos ramales extendieron la posta como dilatado sistema vascular por todo el país. También los servicios marítimos llevaban correspondencia. Nuestra máxima autoridad en esta materia, Angel Torrademé, resume así estos hechos: "En la década de 1851 a 1861 quedó definitivamente constituído el correo en la Isla de Cuba", terminando "la época de tanteos y medidas inseguras que hasta entonces habían impedido el buen funcionamiento de un servicio tan necesario." A nadie podrá sorprender, una vez conocidos estos datos, que en los años estremecidos que corren de 1860 a 1868 cuaje en realidad social la conciencia de la tierra común, la comunidad de territorio.

Esta integración, empero, ha de hacer frente a dos vigorosos enemigos: el localismo y el esclavismo. El localismo desempeña en sus inicios -ya lo hemos advertido- un valioso papel positivo. Ayuda al nacimiento de lo criollo y a su diferenciación progresiva de lo metropolitano. Esto puede comprobarse en muchos momentos de nuestro siglo XVIII. En el *Papel Periódico*, por ejemplo, encontramos pasajes

como éste: "Aquellos ratos de descanso que es preciso suce-
dan a las tareas del estudio son los que sacrificamos gustosa-
mente a nuestra Patria, como sacrificó los suyos el elocuente
Tulio a su amigo Tito Pomponio Atico. Prefiera el amor a
nuestra Patria a nuestro reposo: Havana, tú eres nuestro
amor, tu eres nuestro Atico: esto te escribimos no por sobra
de ocio, mas por un exceso de patriotismo." El espíritu regio-
nalista es aquí evidente. Pero no se olvide que en las páginas
del *Papel* ilustre yacen también los gérmenes del más puro
sentimiento *cubano*. El regionalismo es en este caso antecedente precioso de un futuro cubanismo integral. Sin embargo, cuando nuestras realidades económicas y sociales exigen
la cristalización en Cuba de un cuerpo nacional, resulta hondamente nociva la persistencia de un localismo limitado, feu-
dalizante y fraccionalista, como el que tantos problemas creó
a los líderes del 68. El caudillismo desintegrador hundía sus
raíces en ese miope particularismo de jefes incapaces de ver
más allá de la comarca donde ejercían su vasallaje. Y el caudillismo -a veces simple caciquismo- fue una de la causas del
fracaso de la Guerra Grande.

Enemigo de monta de la comunidad territorial fue
también el esclavismo. Ante todo, por el terrible encono que
este sistema social imponía a la lucha clasista. En el caso
concreto de Cuba, bastará con este dato: en el Archivo Nacional se encuentran no menos de 584 expedientes sobre
alzamientos de negros cimarrones ocurridos entre 1800 y
1850, un promedio de casi doce rebeliones anuales. Eso sin
contar con los expedientes que pueden encontrarse en otros
archivos, que elevan considerablemente el número. Cuba
vivía por entonces en perpetua guerra civil. Fácil es suponer
cuánto dificultaría esta sangrienta pugna intestina al mínimo
entendimiento que era indispensable entre las dos clases po-

113

lares de nuestra sociedad colonial para acometer una empresa común de patria libre. El terror abría una tremenda brecha entre esclavistas y esclavos. Temor del siervo negro a la bárbara sevicia de los privilegiados. Temor del amo blanco a la justa rebelión de los desposeídos. Distanciamiento que durante años dificulta el engarce del ímpetu social -abolicionista- de los de abajo, con la voluntad política -separatista- de los de arriba. Y que conduce a tantas dispersiones infecundas del espíritu nacional, por las vías del reformismo y del anexionismo.

A mas de esto, la trata, legal o ilegalmente vigente, introduce en Cuba sobre todo durante la primera mitad del siglo XIX, cargamento tras cargamento de negros esclavos africanos, gentes de idioma, costumbres y cultura distintos a los nuestros, a quienes fue preciso ir asimilando en la peor de las circunstancias imaginables: bajo el látigo inclemente de los mayorales y el insultante capricho sexual de los señores.

Pero los elementos de unificación iban imponiéndose, a pesar de todo, arriba y abajo. Los factores materiales ya examinados empujan por ese camino: creciente articulación económica del país, lucha de la burguesía por el mercado, desarrollo de las vías de comunicación y transporte, avance de la revolución industrial... Frente a la burocracia extranjera, semifeudal, semiburguesa, empeñada en mantener el *status quo*, los de arriba, los burgueses criollos, comienzan a alzar la voz. Hablan a nombre de la *patria de todos*. Y los de abajo, libres o esclavos, que también sufren represión, comienzan a sentirse tentados por la bandera. El concierto político entre los varios sectores del país sólo se producirá en el 68, cuando los hacendados orientales, al alzarse contra España, le otorgan la libertad a sus esclavos y los llaman a luchar junto con ellos por una Cuba libre para todos. Pero en los años que anteceden inmediatamente a La Demajagua el sentimiento del común territorio va preparando el camino. El esclavo, sin regreso posible a su tierra de fuego, encuentra en este vivo sol del trópico calor de hogar propio. El hombre pobre y libre de la ciudad o del campo, negro o blanco, es casi siempre criollo viejo, antecedidos por dos o tres generaciones cubanas, por lo menos: gente vinculada de antiguo al suelo de la Isla... como lo son los hacendados y terratenientes que se mueven en la vanguardia.

Agregando estos datos a los ya vistos, comprendemos por qué se solidifica en la primera mitad del siglo XIX la comunidad de territorio. Recuérdese que a este período pertenecen el párrafo amoroso de Varela y las estrofas encendidas de Heredia. Es también ahora cuando los gobernantes españoles comienzan a aplicar a los criollos rebeldes el castigo del destierro. La metrópoli pretende con este *des-terrar* arrebatarle al patriota el sustentáculo de su pasión y la raíz de su fuerza, lanzándolo al vacío. Pero a la larga (sólo demasiado tarde para remediarlo supiéronlo los Capitanes Generales) ese mismo desgarrón, que duele como el del Cid:
(*assiz parten unos d'otros / como la uña de la carne*)
no sirve sino para acerar el ánimo del proscripto, acreciéndole con la nostalgia el apetito de retorno y la voluntad de reconquista.

Nace el culto a la tierra natal, la adoración de la tierra madre. Y los poetas -profetas siempre- salen a la búsqueda de su símbolo exacto.

El habanero Manuel de Zequeira nos ofrece la piña:

Del seno fértil de la madre Vesta
En actitud erguida se levanta

115

La airosa piña de esplendor vestida,
Llena de ricas galas.

En el otro extremo de la Isla, el santiaguero Manuel Justo Rubalcava apunta hacia el anón, "Argos de las frutas"; hacia el boniato, "topo de los frutales"; hacia el "sabroso ciruelo" y el coco, "ruidoso con su verde cabellera". Es su *Silva Cubana* el "primer poema de legítimo acento criollo de nuestra literatura", según José Antonio Portuondo. Su entusiasmo por las frutas criollas es un entusiasmo por los jugos palpitantes de su tierra:

Más suave que la pera
En Cuba es la gratísima guayaba,
Al gusto lisonjera,
Y la que en dulce todo el mundo alaba,
Cuya planta exquisita
Divierte el hambre y aun la sed limita.

Años después, José María Heredia, pensando "en los campos de Cuba florecientes... de luz vestidos y genial belleza", ha de sugerir sin propomérselo otros símbolos: el plátano, el naranjo, el mango, la ceiba,

Y del café las sales deliciosas.

Y Felipe Poey, alma natural de lírico naturalista, en su delicado poema *El Arroyo*, nos retrata con amor el campo criollo: el arroyuelo escondido en el bosque sombrío; la caña bajo el sol abrasador; el vuelo de la bijirita; el ciego correr de la jutía. Y movido por el entusiasmo lanza la exclamación:

116

¡Salve, monte de Cuba bienhadado,
claro sol, limpias fuentes,
verde pompa del bosque, dulce prado,
a mi vista presentes!

Pero, por curiosa y sabia coincidencia, no fue en Cuba donde brotó el símbolo del suelo común. Fue en el Niágara, en el destierro, lejos de nuestro sol, entre las nieves del Norte y las nieblas de la nostalgia, que el corazón *des-terrado*, añorante, de José María Heredia nos ofrece, relámpago de ensueño en un poema inmortal, el emblema definitivo de la tierra cubana:

Mas ¿qué en tí busca mi anhelante vista
con inútil afán? ¿Por qué no miro
alrededor de tu caverna inmensa
las palmas ¡ay! las palmas deliciosas,
que en las llanuras de mi ardiente patria
nacen del sol a la sonrisa y crecen,
y al solplo de las brisas del Océano,
bajo un cielo purísimo se mecen?

Desde este momento la palma ha de servir a los poetas cubanos para apresar en su flecha sin tregua el apetito de cielo de nuestra alma vegetal.

La Avellaneda es de los primeros en identificar al poeta nacional con el símbolo de la patria, al preguntarle en la Elegía que le dedica:

¿Quién cantará tus brisas y tus palmas,
tu sol de fuego, tu brillante cielo?

117

Plácido, que dio eterna vida literaria a la flor de la caña y a la flor del café y que transitó en sus versos criollísimos

De Cuba fértil por las anchas selvas,

muestra también en su obra hondo amor por los que llama "ínclitos palmares".

Y José Jacinto Milanés, el de la tórtola huída y el nido vacío, alude también al emblema:

¡Qué bien meces, Cuba hermosa,
en tu frente montuosa
tu cabellera de palmas!

La patria adviene

virgen del sol, velada de palmeras

en un soneto de Hernández Echerri, compañero en vida y muerte de Isidoro Armenteros.

Y las palmeras avanzan
cual falanges militares
de la patria libertad

en las redondillas con que Miguel Teurbe Tolón explica a su madre por qué no se acoge a la amnistía de la Reina de España.

Para Francisco Iturrondo (Delio) Cuba, isla de bendición, plácida joven, virginal señora, aparece como

voluptuoso jardín, donde las palmas
se mecen a la brisa...

En el poema *La Danza Cubana* de Ramón de Palma,
la música, el baile y la tierra se ajustan al ritmo mismo que
agita el corazón tropical de la palmera:

¡Oh danza! me parece
que Cuba con sus palmas
a tu compás se mece
y son de nuestras almas
tus ecos el clamor.

Y no sólo en los poetas *cultos* sino también en los
rústicos cantores campesinos la conciencia de la comunidad
territorial se hace voz en décimas elementales, gozosamente
saturadas del sabor vegetal de su tierra. Francisco Pobeda,
para no citar más que un caso, se regodea en la mención
casi litúrgica de raíces, hojas y troncos criollos. "Todo en
nuestra Cuba está", afirma. Y pasa a probarlo en nutrida
enumeración:

La jocuma y cuajaní,
la caoba, el chicharrón,
la palma real, el piñón,
el marrullero, el hubí:
vemos siempre verde aquí
a la predilecta yaya,
también a la siguaraya,
a la vigueta y al jobo,
y al gigantesco algarrobo
cubierto de pitajaya.

119

Pobeda recita, enamorado. La embriaguez sube de punto. Y llega un instante en que el cantor popular nos entrega un cocktail jitanjafórico de palos de la tierra:

> Jaimiquí, Yacuage, Guara,
> Yuraguano, Jata, Tea,
> Yijáguara, Cuajaní,
> Yamaguá, carne doncella.
> Hayabacana, Daguilla,
> Siguaraya, Raspa lengua,
> Pitajoní, Camaguá,
> Júcaro, Arraigán y Ceiba.

(¿No hay como un eco lejano de este acento en la juguetona Jícara de Ballagas y en los pregones, prietos de sol y tierra de Nicolás Guillén?)

De arriba y abajo, pues, nos llegan idénticos síntomas. La imagen de la ínsula común se está forjando en los círculos intelectuales de la burguesía y en las "controversias" sin pretensiones de los guajiros, en el bufete de los abogados y en el barracón de los esclavos.

No debe extrañarnos que sea un poeta culto pero muy nutrido de zumos populares, José Fornaris, quien identifique el símbolo sagrado de la palma con el cielo de la patria amadísima:

> Bajo ese cielo se mecen
> esas ceibas, esas palmas
> que me dieron sombra amiga
> allá en mi risueña infancia.
> Bajo ese cielo he crecido
> en mis selvas y cañadas,

120

y va en mi sangre, en mis venas,
y clavado en mis entrañas.
En fin, sabed que lo adoro
con todo el fuego de mi alma,
porque no hay cielo en el mundo
como el cielo de mi patria.

Tierra, cielo. Unidos están por la flecha de la palma. Unidos por el jugo vital de un pueblo nuevo. El propio Fornaris nos ofrece lo que Samuel Feijóo ha llamado con acierto "mágica definición poética de Cuba". Cuba es:

Arco en altas palmeras enlazado.

Por eso ha de llegar un momento en que la palma ha de hablar con la voz misma de los muertos de la patria. La imagen nos la ha de ofrecer el hombre que ayudó a forjar con sus finas manos de poeta la conciencia más alta que ha producido la tierra cubana: la imagen es de Rafael María Mendive, el maestro de Martí.

¡Ved como agitan sus gallardas hojas
en nuestros valles las agrestes palmas!
¡De cuántas puras y sencillas almas
imágenes no son!
¡De cuántos seres que olvidados moran
en solitarias tumbas, no son ellas
al blando suspirar de sus querellas,
tristísima expresión!

Poder morir en olor de libertad bajo el sol patrio. Poder descansar bajo su suelo. Poder cantar, desde el silencio definitivo, el amor a la tierra en la voz de la palma. He ahí todo un programa. Es el programa del sentimiento cubano independentista del siglo XIX. Es el programa de Varela, que prefirió quedarse sin ciudadanía antes que renunciar a la que él siempre anheló: la cubana. Es el programa de Heredia, que desafió al final de su vida la furia del mundo para sentir un rato, sobre los huesos agónicos, el sol de su Isla. Es el programa de Céspedes y Agramonte. Es el programa de Maceo y Martí.

Cedamos de nuevo la palabra a Fornaris para que lo resuma:

¡Ah, cuando muera, llevadme
bajo el cielo de mi patria,
y arrulle mis restos fríos
la música de mis palmas!

***

La comunidad territorial está integrada cuando suenan en el 68 las campanadas de La Demajagua. Cuba es ya *una* en la conciencia del pueblo cubano. Y aunque la guerra va a ser limitada pronto a tres provincias y luego a dos, y finalmente sólo a la oriental, desde el primer instante la República en Armas aspira a organizarse desde San Antonio hasta Maisí. Criollos de Occidente exponen su vida para llegar a los campos de batalla de Oriente y Camagüey y regar con su sangre el suelo rebelde. Pronto las mentes más perspicaces van a elaborar el concepto estratégico básico de nuestra guerra libertadora: la Invasión, el lazo gigantesco que amarrando los dos extremos del país serviría para unificar el esfuerzo bélico y convertir cada rincón de la campiña cubana en campo de batalla. Obviamente la insularidad geográfica pugna por convertirse en singularidad política. La Nación, ya diferenciada de la metrópoli progenitora, pretende darse Estado propio. El suelo común quiere ser suelo libre. Y para alcanzar estos objetivos la tierra se empapa de sangre. Abono tremendo. Lazo definitivo. Articulación irrompible. D e s d e entonces la unificación territorial está asegurada para siempre. Podrán amenazarla todos los peligros. Podrán atacarla todas las plagas. Podrá morderle el tuétano el fracaso de la Guerra Grande. Y el de la Guerra Chiquita. Y los tropiezos del 95 y del 98. Y el hiato terrible de la intervención extranjera. Y la República mediatizada. Y lo que vino después. Todo será en vano. Nada podrá separar lo que ha sido soldado para todos los tiempos por el fuego purificador de la sangre inmolada. Nada podrá separarlo.

Por eso aun hoy, en esta hora de sombras, una viva luz brota desde el fondo de la tierra cubana, para alumbrar a la palma que asciende, saeta de esmeralda disparada hacia la aurora que llama.[2]

(Conferencia leída en el "Lyceum" de Santiago de Cuba, Agosto de 1953.)

---

[2] La "hora de sombras" a que aquí se alude era la que proyectaba por aquel entonces sobre el país la dictadura de Fulgencio Batista. Hoy pudiera extenderse ese significado, para comprender el presente.

APOSTILLA

La visión que aquí se ofrece de lo que Felipe Pichardo Moya llamaba la Edad Media Cubana (siglos XVI, XVII y comienzos del XVIII), se ajusta a las tesis vigentes en nuestra historiografía cuando este trabajo se escribió, hace más de cuatro décadas.

Posteriormente, Leví Marrero en su monumental estudio *Cuba Economía y Sociedad* ha revisado algunos de esos criterios, estableciendo que nuestro país tuvo carácter de "factoría y presidio militar, sin duda", pero sólo dentro de ciertos límites, "mientras fue, adicionalmente, mucho más." Agregando: "En 1700 no era Cuba... el yermo lamentable de mediados del XVI. No era tampoco un presidio habanero enquistado, ni una factoría implantada por extranjeros que desdeñaban el suelo en que vivían de paso." (Marrero, op. cit., vol. 3, pp. VIII y IX.)

Esta imagen más amplia y completa del primer período de la evolución cubana, se alza sobre una formidable base documental inédita y brillantemente analizada. Creemos, sin embargo, que no contradice en lo más mínimo a estas justas revisiones el colocar, junto a lo positivo, las limitaciones que sufría el país en los dos siglos iniciales de su historia. El índice demográfico así lo evidencia. Con toda razón habla Marrero de Cuba como de una "isla casi despoblada". Y se refiere al "semidesierto que era aun Cuba" al comienzo del siglo XVIII. (Ibid, pp. 219 y 227.) Las condiciones para que la nacionalidad cubana, y aun la comunidad de territorio, comenzaran a cuajar, eran todavía en esa época muy desfavorables. Aunque no deben desconocerse, por otro lado, las semillas del proceso, ya hundidas en el suelo desde bien temprano. (Sobre el desarrollo de estas ideas, véase: Jorge Castellanos e Isabel Castellanos, *Cultura Afrocubana*, vol. 1, pp. 61-69.)

LOS HOMBRES

MARTI Y EL INCIDENTE EN EL HOTELITO DE MADAME GRIFFOU

Hay instantes menores en la historia que portan en su seno la semilla de grandes acontecimientos. Uno de ellos, en Cuba, fue el incidente personal que rompió las relaciones entre José Martí y Máximo Gómez el 18 de octubre de 1884.

Con los primeros fríos del otoño había llegado Gómez a Nueva York, acompañado de otro jefe legendario, el general Antonio Maceo. Venían en son de guerra, convencidos de que las condiciones estaban maduras, dentro y fuera de la Isla, para reiniciar la campaña independentista interrumpida por el Pacto del Zanjón y el fracaso de la Guerra Chiquita. Sus habitaciones en el pequeño hotel de madame Griffou en el Bajo Manhattan (21 Este de la Calle 9) eran un hervidero. Los exiliados de la ciudad acudían a tocar carne de héroes, a medir posibilidades, a ofrecer su ayuda monetaria o sus servicios a la causa. Entre ellos se encontraba José Martí.

Los caudillos presentaron sus planes. Contaban con la promesa de doscientos mil pesos de parte de un cubano rico de la ciudad, Félix Govín. Con eso podía iniciarse el movimiento. Pero era preciso levantar los ánimos y juntar voluntades en todas partes. Y organizar la leva. Y garantizar un ingreso sostenido para comprar armas. Y obtener el apoyo de los gobiernos de Hispanoamérica y la simpatía de la opinión pública mundial. Se habla, se discute, se espera... Y pronto: la decepción. Govín se desentiende de su oferta. Otros compatriotas ricos responden con sus excusas o su silencio a las demandas de la revolución naciente. Sólo los cubanos pobres están dispuestos al sacrificio. Gómez traga "gotas amargas" (así lo hace constar en su *Diario*.) Pero ahí mismo agrega: "Yo seguiré mi camino sin miedo..."

El general ordena que salgan comisiones a diversos centros de exiliados a conseguir recursos. A París irán Flor Crombet y Eusebio Hernández. A Kingston, José Maceo y Agustín Cebreco. A Santo Domingo, Francisco Carrillo. A Cayo Hueso, Rafael Rodríguez. Antonio Maceo y José Martí partirán para México. Debía garantizarse que cada uno de esos centros enviase a Cuba, en la fecha indicada por el alto mando, una expedición armada. Martí era visita frecuente del hotelito de la calle 9. Tenía 31 años. Había pensado hondamente sobre su patria, sobre la estrategia y las tácticas que podrían hacerla libre. Se expresaba con claridad y elegancia. Y muchas veces, sintiéndose entre camaradas, exponía lo que pensaba.

Gómez lo ve con simpatía. Sabe que puede darle al movimiento el propagandista que éste urgentemente necesita. Pero le molesta que tan a menudo opine sobre lo que, a su juicio, sólo al jefe máximo compete. ¿No se ha acercado a él mismo, con indicaciones que nunca deben hacerse a quien se le haya confiado la dirección de un asunto? Martí es muy inteligente. Habla y escribe muy bien. Pero ¿dónde está su pasado militar? Es un civil inexperto entre generales de larga carrera. Y nadie ignora cuántas dificultades había tenido él, el general, durante la guerra, con el gobierno civil de la Revolución. El fogoso abogado debía ser más discreto, no pasarse de los límites que le tenían fijado. Habría que darle una lección. [1]

El sábado 18 de octubre Martí se entrevista con Gómez y Maceo en el hotelito de madame Griffou. Habla con los dos jefes militares sobre la comisión a México. Entusiasmado, se extiende sobre lo que allí puede hacerse. El conoce bien la capital. Ha vivido allí. Conserva relaciones que pueden ser muy útiles. Porfirio Díaz había iniciado una política de conciliación que a él le abriría ciertas puertas. Comienza una frase:

-Al llegar a México y según el resultado de la comisión...

No pudo terminar. Poniendo en sus palabras toda la aspereza de que era dueño, Máximo Gómez le interrumpe:

-Vea, Martí, limítese usted a lo que digan las instrucciones y lo demás... el general Maceo hará lo que deba hacerse.

---

[1] Los elementos subjetivos introducidos en nuestro relato se basan siempre en la documentación pertinente. Por ejemplo, para este párrafo, hemos utilizado -y citado casi literalmente- lo escrito por Máximo Gómez al dorso de la famosa carta de Martí del 20 de octubre de 1884, a la que en seguida vamos a prestar atención. Véase ese texto en la obra de José Luciano Franco, *Antonio Maceo: Apuntes para una Historia de su Vida*, La Habana, 1975, Vol. 1, pp. 272-273.

Y bruscamente se retiró a darse el baño que por el frío y las ocupaciones había ido posponiendo.

Maceo se percata de la profunda desazón que en Martí ha provocado el exabrupto. Trata de dar explicaciones. Había que perdonarle al Viejo sus brusquedades. Estaba acostumbrado a dar órdenes y a recibir obediencia. Eso constituía en él una segunda naturaleza. Además, era peligroso que al mando de la nave hubiese muchos capitanes. Sin Gómez, el movimiento jamás despegaría. El es el alma, el símbolo a seguir. Sin jefes no hay ejército. Y a los jefes se les obedece, ¿no?

Para Martí las palabras de Maceo eran tan alarmantes como la andanada que trataban de explicar. De todos modos, logra contenerse. Escucha. Espera. Lo valiente no quita lo cortés. Se despide con toda corrección, tan pronto el general regresa de su baño. No ha querido dejarse llevar por reacciones primarias. Mejor será meditar detenidamente sobre lo ocurrido: sus raíces, su sentido, sus consecuencias. Porque evidentemente no se trata tan sólo de defender el pundonor personal herido. Eso es lo de menos, en circunstancias semejantes. La patria está por encima de tales pequeñeces. Lo que importa determinar es si -como él venía sospechando- no habrá detrás de estos síntomas males más grandes.

Las prevenciones existían desde que se enteró de las intrigas con que gentes interesadas venían envenenando el corazón sencillo de Gómez por la época en que éste vivía en Honduras. Martí sabía sobreponerse a los chismes y los enredos, que también flotaban ahora en Nueva York. No tenía paciencia para husmearlos ni para deshacerlos. Más importancia otorgaba a ese exagerado personalismo del jefe, a esa falta de espíritu colectivo, a esa ausencia de toda consulta a los criterios de los demás miembros del movimiento, que cada día parecía menos y menos democrático y civilista, más y más cosa de cuartel.

Porque ahí estaba el centro de la cuestión. No se le estaba prestando la menor atención al llamado Programa de San Pedro Sula, de abril de ese mismo año de 1884, donde Gómez había fijado los términos organizativos de la nueva revolución. En ese documento, por ejemplo, se hablaba de elegir una Junta Gubernativa compuesta de cinco personas, a la cual quedarían subordinadas todas las asociaciones, grupos y clubes existentes y que en lo sucesivo se fundasen. Pero nada se había hecho al respecto. La Junta no existía. Y la conspiración era dirigida exclusivamente por el General en Jefe, a quien en verdad tampoco se le eligió "por el voto de la posible mayoría de cubanos, sean o no militares", como rezaba la base número cuatro del Programa. Todo el poder se concentraba en las manos del líder supremo, indiscutido e indiscutible.

No creía Martí que hubiese en nada de esto mala fe. ¿Quién podía dudar del patriotismo de hombres como Gómez y Maceo? Mas la dinamia de las realidades políticas acaba siempre por imponerse a las mejores intenciones, torciéndolas y corrompiéndolas, si no son sometidas al freno de la voluntad popular. Y que no se arguyese que una cosa eran la conspiración y la guerra que ella preparaba y otra la república, ya libre del imperativo de una disciplina estricta y radical. El movimiento preparatorio llevaba en su propio seno la clave del gobierno futuro. Los fines son siempre hijos de los medios. La autocracia sólo autocracia puede generar.

Dos días terribles pasó Martí pensando en todo esto. Era como si su vida entera se concentrase en un instante crítico. Con curiosa parquedad, sus andanzas por dos continentes le habían proporcionado cuantas experiencias necesi-

133

taba para forjar su ideología política sobre bases reales y positivas. Por esa época había ya vivido en Cuba, España, México, Guatemala, Venezuela, Estados Unidos. La colonia antillana, la metrópoli europea, la América del Centro, la del Norte, la del Sur.

De la cárcel cubana, a donde lo había llevado su juvenil rebeldía, sale deportado a España. Llega a Madrid, con sus dieciocho años mal cumplidos, en enero de 1871, unos días después que el nuevo rey, Amadeo de Saboya. La flamante monarquía pronto revela ser tan "aldeana" y tan "podrida" como la borbónica. Y para la causa de Cuba no resulta mejor la República enclenque y cicatera, proclamada en 1873, que no quiere darle a la Isla ni indepedencia nacional, ni libertades públicas, ni abolición de la esclavitud. Cuando Martí sale hacia París, a fines del 74, el espadón del mariscal Arsenio Martínez Campos ha colocado en el trono a otro Borbón, al hijo de la destronada Isabel II, con el nombre de Alfonso XII. ¿Qué puede esperarse de un país así?

México es otra decepción. Como en una pesadilla, los viejos males de la era colonial se reproducen en los tiempos republicanos. Cierto que, a su llegada, el joven exiliado encuentra en el poder al licenciado Sebastián Lerdo de Tejada, legítimamente elegido. Y verdad también que, con todas sus mataduras, su régimen mantiene un clima de respeto a las libertades básicas. Pero Porfirio Díaz acecha en la sombra. Y la *Revista Universal*, donde escribe el recién llegado, es claramente antiporfirista. Tras un año de convulsiones Díaz derrota al ejército constitucional el 16 de noviembre de 1876 en Tecoac. Ocho días después entra en la capital. Y en mayo del 77 es "elegido" presidente. El espadón de acá quita y pone gobiernos, como el de allá. La Madre Patria era, por lo visto, madre de nuestros bienes y nuestras penurias: de nuestra lengua y nuestra cultura, de nuestro individualismo y nuestra aparente incapacidad para la democracia. Martí decide trasladarse a Guatemala y allí reside poco más de un año.

El Pacto del Zanjón, tratado de paz, de "olvido de lo pasado", y compromiso de rectificaciones políticas, le llevan a Cuba en 1878. Aunque no confía mucho en promesas de España, cree que hay que tomarle la palabra. Pronto es evidente que salvo la inútil representación en las Cortes, ninguna otra reforma se ha de convertir en realidad. El Pacto ha devenido papel mojado. La monarquía hispana nunca escarmienta... Para alcanzar lo que necesita, la colonia otra vez burlada no tiene más salida que el regreso a la manigua. Ya funcionaba un Comité Revolucionario en Nueva York, dirigido por Calixto García, agitando para la reanudación de la guerra. Martí es de los primeros en incorporarse a la conspiración. Cuando se alzaron en Oriente José Maceo, Guillermón Moncada y Quintín Banderas, el capitán general ordena decapitar la revolución en La Habana. Martí es detenido por la policía. De la cárcel se le envía a un nuevo destierro en España.

Esta segunda estancia forzada en la metrópoli acaba por perfilar con claridad en la mente del proscrito lo que la Cuba futura no debía ser: tierra de vasallaje, explotada por una casta parasitaria de militarotes y politiqueros voraces e insaciables, desangrada por el peculado, saltando de las manos de un caudillo a las de otro de la misma ralea antidemocrática, enmascarada en un parlamentarismo hipócrita y servil y en un sistema judicial corrompido, vendible y comprable. Todo el terrible lastre que impedía el progreso del noble pueblo español. Era evidente: para huir de semejante destino había que sacar a esa España nefasta del gobierno de su co-

135

lonia americana. Pero con ello no bastaba: imprescindible era también sacárnosla de nuestras costumbres.

En diciembre de 1879 Martí escapa de su destierro. Pasa unas pocas semanas en París. En enero del 80 ya está en Nueva York. Se incorpora en seguida a los trabajos preparatorios de lo que luego se llamará la Guerra Chiquita. Cuando Calixto García desembarca en Oriente el 7 de mayo se publican las proclamas que Martí ha escrito para anunciar el hecho. Pero García llega cuando el movimiento se acaba y, como José Maceo y Guillermo Moncada antes que él, cae prisionero. El 13 de octubre Martí le escribe al último mambí alzado, el general Emilio Núñez, autorizándolo a rendirse. El propósito sigue en pie -le dice- pero el triunfo "no es ahora probable". Y ya en ese documento queda claro cómo identifica los fines con los medios: "Hombres como usted y como yo hemos de querer para nuestra tierra una redención radical y solemne, impuesta, si es necesario y si es posible, hoy, mañana y siempre, por la fuerza; pero inspirada en propósitos grandiosos, suficientes a reconstruir el país que nos preparamos a destruir." [2]

Todavía otro episodio de su peregrinar incesante provee de una confirmación más al amasijo de doctrinas que se han articulado en su mente sobre el destino cubano. En marzo del 81 Martí está en Caracas. Como siempre, para ganarse la vida, enseña, escribe. Y, como siempre, observa con mirada ancha y honda. Funda la *Revista Venezolana*. Pero sólo puede publicar dos números. Al dictador Antonio Guzmán Blanco le desagrada un artículo de Martí sobre Cecilio Acosta, maestro consagrado de las inquietas juventudes venezolanas. Y dispone que se obligue al cubano a salir del

---

[2] José Martí, *Obras Completas*, La Habana, 1975, p. 162.

país. El 28 de julio se embarca éste en La Guaira rumbo a Nueva York. Este encuentro con la arbitrariedad oficial y la falta de respeto a la opinión ajena no tiene, en verdad, para él nada de raro. Sabe que responde a la misma fuerza oscura que dictaba destierros en Cuba. Siempre la colonia metida en la república. Ese futuro no lo quería él para su Isla.

¿Cómo podían ser ciegos Gómez y Maceo a esos peligros? ¿Cómo podían inclinarse a crear una dictadura militar para hacer una guerra por la libertad? ¿Cómo podían engañarse sobre su opinión al respecto? Ellos bien sabían que él había redactado la proclama del Comité Revolucionario de Nueva York en mayo del 80. Y tenían que recordar cuán sutil pero claramente había subordinado allí el poder militar al poder civil, el poder personal al popular. Inconcebible que hubieran olvidado ese párrafo concluyente:

"Con el general García han ido a Cuba la organización militar y política que nuestra patria en lucha requería; con el hombre en armas ha ido un hombre de deberes; con la espada que vence, la ley que modera; con el triunfo que autoriza, el espíritu de la voluntad popular. A vencer y a constituir ha ido el caudillo, no sólo a batallar. No a abarcar en sus brazos un poder omnímodo, cualesquiera que puedan ser las razones que para ello le dieren los amigos de semejantes soluciones. A prepararnos para la paz, en medio de la guerra, sin debilitar la guerra: a esto ha ido. A convocar al país para que dicte su ley; a establecer, como ya ha establecido, un gobierno por todos esperado, y para él por todos reservado; a ofrecer, y a cumplir, que no envainará la espada sino pasado el último umbral del enemigo, y que en sus manos no volverá a lucir sino para romperla en el ara de las leyes." [3]

¿Responde el Plan Gómez-Maceo a estos principios? Es obvio que no. Por hábito de mando, por falta de experiencia en sus relaciones con la opinión pública, por el apuro de llevar adelante el proyecto sin los frenos imprescindibles, estos jefes se precipitan hacia un campo minado. A una conspiración de ese género Martí no puede incorporarse. El mejor servicio que puede prestar a la patria en crisis es poner en claro sus objeciones tácticas. Y hacerlo en privado, enérgica pero respetuosamente, sin escándalos divisorios, aun a riesgo de no ser comprendido en sus motivos y de atraer hacia su cabeza la furia de los exaltados.

Redacta una carta fechada el 20 de octubre de 1884 donde lealmente le comunica al general Gómez su determinación "de no contribuir un ápice" a llevar a Cuba "un régimen de despotismo personal, que sería más vergonzoso y funesto que el despostismo político que soporta, y más grave y difícil de desarraigar..." Con frase que se hará famosa, reprende: "Un pueblo no se funda, General, como se manda un campamento..." Los trabajos preparatorios de la revolución deben estar asistidos del mismo espíritu que ha de reinar en la patria liberada. Pues si no se hace, "¿qué garantías puede haber de que las libertades públicas, único objeto digno de lanzar un país a la lucha, sean mejor respetadas mañana?" Y ya con la manga al codo y el flagelo en la retórica: "¿Qué somos, General?, ¿los servidores heroicos y modestos de una idea que nos calienta el corazón, los amigos leales de un pueblo en desventura, o los caudillos valientes y afortunados

---

[3] Martí, op. cit., Vol. 1, pp. 153-154.

que con el látigo en la mano y la espuela en el tacón se disponen a llevar la guerra a un pueblo, para enseñorearse después de él?"

Son palabras muy duras. Y Martí vierte en seguida unas gotas de bálsamo sobre la herida. Ya al comienzo de la carta había expresado su pena de tener que decir esas cosas a un hombre a quien cree sincero y bueno. Ahora agrega: "Ya lo veo a Ud. afligido, porque entiendo que Ud. procede de buena fe en todo lo que emprende, y cree de veras, que lo que hace, como que se siente inspirado por un motivo puro, es el único modo bueno de hacer que hay en sus empresas. Pero con la mayor sinceridad se pueden cometer los más grandes errores." Como ese, gravísimo, que se desprende de las palabras de Maceo, de considerar a la guerra de Cuba como una propiedad exclusiva de su jefe máximo y creer que para incorporarse a ella y servirla, había que dejarla ciegamente en sus manos. "¡No, no, por Dios!"

"A una guerra emprendida en obediencia a los mandatos del país, en consulta con los representantes de sus intereses, en unión con la mayor cantidad de elementos amigos que pueda lograrse... el alma entera he dado, porque ella salvará a mi pueblo; -pero a lo que en aquella conversación se me dio a entender, a una aventura personal, emprendida hábilmente en una hora oportuna, en que los propósitos particulares de los caudillos pueden confundirse con las ideas gloriosas que los hacen posibles;... a una campaña que no dé desde su primer acto vivo, desde sus primeros movimientos de preparación, muestra de que se la intenta como un servicio al país, y no como una invasión despótica... no prestaré yo jamás mi apoyo- valga mi apoyo lo que valga..."

La conclusión es inevitable: "Desisto, pues, de todos los trabajos activos que había comenzado a echar sobre mis hombros." A lo que acompaña un consejo y un halago condicionado: "Y no me tenga a mal, General, que le haya escrito estas razones. Lo tengo por hombre noble, y merece Ud. que se le haga pensar. Muy grande puede llegar a ser Ud.- y puede no llegar a serlo. Respetar a un pueblo que nos ama y espera de nosotros, es la mayor grandeza." Obviamente Martí quiere desasirse de un movimiento del que desconfía pero sin romper definitivamente con el ilustre jefe que lo manda: "A Ud., lleno de méritos, creo que lo quiero:- a la guerra que en estos instantes me parece que, por error de forma acaso, está Ud. representando,- no..." Y concluye en tono francamente conciliador: "Queda estimándole y sirviéndole, José Martí." [4]

Gómez no contestó, por considerar la carta injuriosa. Al dorso de ella escribió, entre otras, estas palabras: "Este hombre me insulta de un modo inconsiderado, y si se pudiera saber el grado de simpatía que sentí por él, sólo así se podrá tener idea de lo sensible que me ha sido leer sus conceptos." [5] En su *Diario de Campaña* vuelve al tema, sin ceder un ápice: "Agregaré a esto que no falta alguien, como José Martí, que le tenga miedo a la dictadura, y que cuando más dispuesto lo creía se retiró de mi lado furioso según carta suya insultante, que conservo; porque no dejándole yo inmiscuirse en los asuntos del plan general de la revolución, a cargo mío en estos momentos, y deseando enseñarle su papel, se ha creído que yo pretendo ser un dictador, y dando a este frívolo pretexto la gravedad que jamás en sí puede tener, se ha alejado de mi lado vertiendo especies que no creo

---

[4] Martí, op. cit., Vol. 1, pp. 177-180.

[5] Cit. por Jorge Mañach, *Martí el Apóstol*, Nueva York, 1963, p. 183.

favorezcan a las cosas y a los hombres..." [6] Lo que para Gómez no pasaba de mera frivolidad, para Martí era una cuestión esencial, decisiva, insoslayable.

La idea de que la organización del movimiento preparatorio de la guerra debía tener carácter dictatorial fue claramente expresada por Gómez más de una vez, a partir de 1868. Y todavía persistía el 15 de junio de 1885, cuando el general escribió en su *Diario*, después de quejarse de la falta de recursos que aquejaba a la causa: "...Al lado de tanta miseria... hay, y es lo peor, escasez de varonil resolución- pues hasta se le teme a la Dictadura revolucionaria; ¿se podrá dar mayor candidez o más afeminado modo de pensar? ¿Acaso se puede citar una revolución en el mundo que no tenga su Dictadura? Muy débil y sin bríos debe ser la que no revista este sello- de seguro que no hará más que divertir y hacer reir al Gobierno que ella ataque por débil que este sea. Los hombres que tal piensan no han nacido para ayudar a libertar hombres- porque no saben y no quieren aprender a armar el brazo del guerrero- porque tienen miedo." [7]

Gómez no podía entender la posición de Martí. Para él era evidente: ese joven no lo conocía. El, general victorioso en mil combates, nunca había querido nada para sí. Y la dictadura que ahora reclamaba e imponía, como jefe supremo de la conspiración, era tan solo momentánea, provisional, de pura necesidad táctica, y a ella renunciaría tan pronto terminara la lucha con la victoria de las armas mambisas. A él no le interesaba el poder, y no lo aceptaría jamás en la paz de la República libre e independiente. Por lo demás, ¿no ha-

---

[6] Máximo Gómez, *Diario de Campaña*, La Habana, 1968, p. 180.

[7] Gómez, op. cit., pp. 192-193.

141

bía demostrado la historia de la Guerra Grande que siempre terminaba por rendirse ante el poder civil cuando éste funcionaba en la manigua?

Era verdad. Gómez siempre hizo saber abiertamente su criterio sobre la incapacidad del gobierno civil para dirigir las operaciones militares. Y en más de una ocasión actuó por cuenta propia, lo que es comprensible dadas las características de la guerra en Cuba. Pero cuando el 8 de junio de 1872 fue destituído del mando de la División de Cuba (que comprendía todo el este de la provincia oriental) ¿qué hizo? Acata la orden y se retira a un rincón oscuro con una pequeña escolta. Un año justo después (8 de junio de 1873) Céspedes le otorga el mando del Ejército del Centro, en Camagüey, vacante por la muerte de Ignacio Agramonte. Y cuando pocos meses después Vicente García le propone resolver la inercia del gobierno deponiendo a Céspedes, Gómez se opone con vigor, alegando que él no podía aceptar ningún motín militar.

Cierto que, en enero de 1875, Gómez invade Las Villas sin autorización del gobierno civil. Pero aun así le escribe el Presidente de la República pidiendo que lo excusara si cometía una falta al llevar la guerra al territorio enemigo. Y cruza la Trocha. Y, por fin, confraterniza con el gobierno. Poco después se produce el pronunciamiento de Vicente García en Lagunas de Varona. Gómez condena el acto y las luchas regionalistas que le impedían extender el conflicto a Matanzas y La Habana. Cansado de tantas dificultades renuncia a su mando en Las Villas a fines de 1876. Anuncia que va a partir al extranjero. Pero el Presidente Tomás Estrada Palma le pide que se quede. Y él acepta la Secretaría de la Guerra el 15 de enero de 1877. ¿Qué hizo él siempre sino tratar de conciliar, de ponerle fin a los conflictos intestinos

142

que estaban acabando con la Revolución? Esos eran los hechos. Su pasado lo defendía contra esas acusaciones injustas y sospechosas de Martí. Como se ve, por el momento, las diferencias entre las dos partes resultaban del todo irreconciliables.

Los investigadores Carlos Ripoll y Jorge Ibarra (el primero examinando el archivo de Juan Arnao en la División de Manuscritos de la Biblioteca del Congreso de Washington D. C., y el segundo revisando los papeles de Máximo Gómez en el Archivo Nacional de Cuba) han hallado evidencia incontrovertible de que en varias ocasiones, desde octubre de 1884 hasta fines de 1885, Gómez y Maceo trataron de atraerse de nuevo a Martí, usando como intermediarios a los emigrados Ramón Rubiera y Juan Arnao.[8] Repetidamente, Martí se negó a regresar a lo que consideraba un redil. Por su parte, el doctor Eusebio Hernández invitó a Martí en 1885 a participar en una reunión en Nueva York para discutir un Manifiesto del general Gómez dirigido "A la América Libre y al Mundo". Fiel a su política de alejamiento, Martí no asistió.[9] Su posición era de "protesta silenciosa". Así lo explica en una carta a J. A. Lucena, declinando una invitacion para hablar en un mitin cubano en Filadelfia el 10 de octubre de 1885:

"Tal vez, a pesar de mi repugnancia a ocupar a los demás con mis opiniones y actos personales, habrá llegado a Filadelfia el rumor de que de un año acá vienen siendo muy

---

[8] Véase: Carlos Ripoll, *José Martí: Letras y Huellas Desconocidas*, Nueva York, 1976, pp.89-96; Jorge Ibarra, *José Martí: Dirigente Político e Ideólogo Revolucionario*, Segunda Edición, México, 1981, pp. 67-72.

[9] Eusebio Hernández, *El Período Revolucionario de 1879 a 1895*, La Habana, 1914, p. 38.

143

grandes mis temores de que los trabajos emprendidos para llevar a nuestra patria una nueva guerra... han sido enteramente distintos de los que a mi juicio son indispensables para que la Isla acepte con confianza y siga con júbilo la revolución que hubiese de salvarla. Sentí... que comencé a morir el día en que este miedo entró en mi alma...

"¿Qué había de hacer en este conflicto un hombre honrado y amigo de su patria? ¡Ah! lo que hago ahora: decirlo en secreto, cuando me he visto forzado a decirlo, de modo que mi resistencia pasiva aproveche, como yo creo que aprovecha, a la causa de la independencia de mi país; no decirlo jamás en alta voz, para que ni los adversarios se aperciban, porque es mejor dejarse morir de las heridas que permitir que las vea el enemigo, ni se me pueda culpar de haber entibiado, en una hora que pudo ser, y acaso sea, decisiva, el entusiasmo tan necesario en las épocas críticas como la razón." [10]

Esta actitud de "resistencia pasiva" provocó en el exilio cubano, junto a la comprensible sorpresa, toda una serie de explicaciones más o menos descabelladas. A Ramón Rubiera (quien se entrevistó con Martí el 30 de octubre del 84 y luego varias veces más) le mareaban las metáforas con que el disidente ilustre -que hablaba como escribía- le explicaba sus motivos. Y, desde su mediocridad, concluía, en carta a Gómez: "Nada, General, nada, celos, amor propio, demasiada personalidad." [11] En definitiva, cosas "de niño", de hombre inmaduro. Algo parecido piensa Juan Arnao, quien al expli-

---

[10] José Martí, *Obras Completas*, Vol. 1, La Habana, 1975, pp. 185-186.

[11] Cit. por Ibarra, op. cit., p. 71.

carle a Gómez el fracaso de sus gestiones conciliadoras, deja ver su criterio de que Martí era un engreído, dominado por el orgullo, por la soberbia, por la vanidad. Ironiza: "...El honorable señor ha sido rogado, mimado, y acariciado para que se dignara acompañarnos con su poderosa influencia, y enterneciera los corazones, excitando y exaltando el patriotismo al mágico incentivo de su palabra, levantara las piedras y las convirtiera en oro. Nuestros rendimientos y homenajes han sido ineficaces para conmover a su eminentísima persona." [12]

La opinión de Gómez está contenida en la carta con que responde a ésa de Arnao que acabamos de citar. Le dice: "Respecto a la negativa de Martí, no me extraña. Martí desde el primer día que me conoció en New York se hubiera separado, pero no encontraba un medio hábil, hasta que la casualidad se lo dio. Y digo se hubiera separado, porque él no es hombre que puede girar en ninguna esfera sin la pretensión de dominar y al tomarme el pulso se dijo para sus adentros: "Con este viejo soldado es imposible hacer eso, y lo que es peor me puedo ver al fin hasta en el compromiso de seguirlo hasta los campos de Cuba -porque éste en vez de ayudar yo a empujarlo puede arrastrar.- Este hombre hace poco caso de los oradores y los poetas y lo que solicita es pólvora y balas y hombres que vayan con él a los campos de mi patria a matar sus tiranos." He aquí, amigo mío, ni más ni menos las reflexiones de ese joven a quien es preciso dejar tranquilo, que ya iremos a luchar por hacerle patria para él y sus hijos. No nos ocuparemos más de esas pequeñeces, esos átomos que nada influyen en los destinos de los pueblos." [13]

---

[12] Carta de Arnao a Máximo Gomez en los papeles de éste en el Archivo Nacional de Cuba. Cit. por Ibarra, op. cit., pp. 79-80.

[13] Ripoll. op. cit., p. 90.

Eusebio Hernández creía que el problema de Martí consistía en que era un genio literario pero no político. "¿Y es poca gloria ser genio en determinada esfera de la vida? Martí lo comprenderá así al fin para el bien de él y gloria de Cuba." [14] Otros, como el viejo luchador José Francisco Lamadriz, confesaban que eran incapaces de comprender la actitud del patriota retraído. Y no faltaban los que inclusive llegaban a dudar de su sanidad mental. El brillo de su verbo y su personalidad los confundía. Fernando Figueredo le decía en una carta a Máximo Gómez: "También acá sabíamos lo de Martí. Yo tengo malos informes de él con respecto a su firmeza de juicio." [15]

Para todos, el incidente era una cuestión psicológica, de personalidad, de carácter. Y ciertamente, algo hubo de conflicto personal en el incidente. No en vano se enfrentaban dos líderes poderosos que, habían ejercido su liderazgo en terrenos distintos, uno en el civil, el otro en el militar; y que, además, en la práctica, pertenecían a dos generaciones distintas. Sin contar que la pasión del momento los llevó a los dos a expresarse sin el tacto necesario al referirse el uno al otro. Martí dejaba entrever en su carta la sugerencia de que Gómez era un militar sediento de poder, lo que -según demostró la vida- era falso. Gómez -acabamos de verlo- creía que Martí era un ambicioso, incapaz de someterse a ninguna disciplina, lo que tampoco era verdad.

Los críticos de Martí no se percataban de que, por su naturaleza, el conflicto resultaba inevitable. Residía en esa contradicción dialéctica clavada en la esencia de todo movi-

---

[14] Carta de Hernández a Gómez, en Ibarra, op. cit. p. 81.

[15] Cit. por Ibarra, op. cit., p. 79.

146

miento que pretenda conquistar la democracia por medio de las armas y de producir la paz social por medio de la violencia. En ellos priva siempre la tensión entre la necesidad de mando centralizado y la de asegurar la autonomía del individuo, entre la dictadura que se proclama indispensable para obtener la victoria y el temor al despotismo que los hábitos dictatoriales invariablemente producen, entre la voluntad única del jefe revolucionario y la voluntad coordinada de la colectividad, entre la disciplina ciega y la dignidad conciente de todos los peligros que la acechan por doquier, entre el presente que urge y el futuro que hay que defender de las impaciencias. Gómez y Maceo, de un lado. Martí, del otro. Sí, no podía faltar el roce entre individualidades tan poderosas. Pero el fondo del problema era, en verdad, ideológico. O más concretamente: de táctica conspirativa, del modo más eficaz y prudente de articular los medios y los fines en la preparación de la guerra liberadora.

Los golpes de los fracasos y las decepciones habían ido forjando, paso a paso, en la mente de Martí los esquemas de un plan de acción ajustado a la naturaleza y las experiencias del caso cubano. Ya en 1882, en la primera carta que le escribe a Máximo Gómez, apunta los principios básicos de una verdadera organización revolucionaria. Ante todo hay que huir de la improvisación. "Esperar es una manera de vencer", dice. Hay que reprimir las impaciencias. Lo que hace falta es "una obra detallada y previsora de pensamiento", es decir, todo un programa, que conduzca a "una revolución seria, compacta e imponente" muy consciente de la situación interna de Cuba, la de la emigración, la de los Estados Unidos, España y el resto del mundo. Por eso el carácter parcial, precipitado y petitorio del Plan Gómez-Maceo no podía parecerle muy prometedor.

La "política de tienda de campaña" no era fecunda. La táctica de iniciar el movimiento con el envío a Cuba de un grupo de jefes en expediciones armadas en el exilio, sin preparación política previa, sin contar de antemano con la voluntad organizada de la Isla y la emigración, estaba condenada al fracaso. Era preciso montar un plan vasto, seguro y sistematizado, de modo que no asustase sino al enemigo y se ganase, en cambio, la previa confianza de los cubanos de adentro y afuera. Había que tomarse el tiempo necesario para que la propaganda separatista y las realidades de la vida misma produjesen en Cuba la desilusión con la demagógica campaña "conciliatoria" de España y el convencimiento de la necesidad de una revolución violenta.

Además de seria y paciente, la revolución debía ser compacta. Era indispensable unir a todos los cubanos, de todas las clases, de todas las razas, de todas las edades, de todos los matices políticos en un solo haz independentista. Para decirlo en términos actuales era peciso formar un "frente único" de lucha. Eso implicaba tomar en cuenta las realidades políticas internas del país, atrayéndose a los que por diversas causas se habían sumado al carro del autonomismo y restándole fuerza al movimiento anexionista, que había vuelto a levantar cabeza y constituía una amenaza gravísima para el futuro de la nación.

En su carta de 1882 a Gómez, Martí escribe: "Y aun hay otro peligro mayor, mayor tal vez que todos los demás peligros. En Cuba ha habido siempre un grupo importante de hombres cautelosos, bastante soberbios para abominar la dominación española, pero bastante tímidos para no exponer su bienestar personal en combatirla. Esta clase de hombres, ayudados por los que quisieran gozar de los beneficios de la libertad sin pagarlos en su sangriento precio, favorecen vehementemente la anexión de Cuba a los Estados Unidos. Todos los tímidos, todos los irresolutos, todos los observadores ligeros, todos los apegados a la riqueza, tienen tentaciones marcadas de apoyar esta solución, que creen poco costosa y fácil. Así halagan su conciencia de patriotas, y su miedo de serlo verdaderamente. Pero como ésa es la naturaleza humana, no hemos de ver con desdén estoico sus tentaciones, sino de atajarlas.

"¿A quién se vuelve Cuba, en el instante definitivo, y ya cercano, de que pierda todas las nuevas esperanzas que el término de la guerra, las promesas de España, y la política de los liberales le han hecho concebir? Se vuelve a todos los que le hablan de una solución fuera de España. Pero si no está en pie, elocuente y erguido, moderado, profundo, un partido revolucionario que inspire, por la cohesión y modestia de sus hombres, y la sensatez de sus propósitos, una confianza suficiente para acallar el anhelo del país - ¿a quién ha de volverse, sino a los hombres del partido anexionista que surgirán entonces? ¿Cómo evitar que se vayan tras ellos todos los aficionados a una libertad cómoda, que creen que con esa solución salvan a la par su fortuna y su conciencia? Ese es el riesgo grave. Por eso ha llegado la hora de ponernos en pie." [16]

El plan Gómez-Maceo fracasó, como había previsto Martí. Con los dineros aportados por los emigrados pobres se compraron pertrechos, que fueron acumulados en varios lugares de los Estados Unidos y del Caribe para armar expediciones. Pero, por diversas razones, éstas no lograron salir a su destino. La única que lo hizo -la del brigadier Maestri,

---

[16] Martí, op. cit., vol. 1, pp. 169-170.

desde Veracruz- abortó en la Isla de Mujeres. Máximo Gómez, Antonio Maceo, José Maceo, Eusebio Hernandez, Flor Crombet y varios otros jefes se mueven de un lugar a otro en busca de recursos. De Nueva York a Nueva Orleans, a Filadelfia, a México, a Jamaica, a Santo Domingo... Ya en enero de 1885 Gómez se percata de que su situación en esos momentos "es la más difícil que hombre alguno haya podido encontrar en el mundo. Con mi mujer y cinco niños - y rodeado de enemigos españoles y americanos, los cubanos me abandonan en la empresa y se alejan de mí como de un leproso. Sólo me quedan unos pocos.- Los viejos soldados de la guerra de los 10 años." Sin embargo, todavía no quiere darse por vencido. "No deseo abandonar la obra hasta que no agote todos los medios que estén a mi alcance para levantar la revolución." [17]

Los trabajos conspirativos se extienden por unos dos años más. Son meses de amarguras sin fin. El 12 de mayo de 1886 anota Gómez en su *Diario*: "No veo la manera honrosa y hábil de retirarme del escenario." Sigue en la brega. Se multiplican los conflictos personales entre los jefes. Maceo y Crombet no llegan a entenderse. Hasta Gómez y Maceo tienen sus diferencias. Abrumado, el viejo general se traslada al Istmo de Panamá. El 14 de octubre comienza a trabajar allí como capataz en la construcción del Canal. Todo ha terminado por el momento. En carta a Eusebio Hernández, del 16 de diciembre de 1886, da por liquidado el movimiento: "Yo no digo una palabra más, ni doy un paso más." Y demuestra haber aprendido bien la amarga lección. Sin mencionar su nombre le da toda la razón a Martí: "Cuando se quiera principiar de nuevo, no se debe empezar por pedir dinero; por

---

[17] Gómez, *Diario*, pp. 183-184.

ahí se debe concluir. Lo primero es organizarse..." [18] Años después, desde Montecristi, en 1891, le dice a Serafín Sánchez: "El trabajo que corresponde a los separatistas es ése de unificar, pero nosotros los viejos combatientes no somos los llamados a esa labor, han de ser hombres nuevos." [19] El curtido luchador le franqueaba la vía a la joven generación.

Mientras tanto Martí, en actitud de alerta, espera, une, perfila sus planes organizativos. Y procura mantener encendida la llama... A fines de 1887 vuelve a agitarse la emigración. Hay reuniones en Nueva York. Se constituye una comisión integrada por Martí y otros dos cubanos prestigiosos. Se aprueban unas bases. Y se acuerda escribir a las figuras mayores del exilio con informes y consultas. El 16 de diciembre Martí redacta para Máximo Gómez una carta que firman con él Félix Fuentes, Rafael de C. Palomino, el Dr. J. M. Párraga y varios emigrados más. Con esa gestión colectiva irá la constancia de que en él no quedan resentimientos por lo ocurrido tres años atrás. Gómez responde: "Estaré pronto a ocupar mi puesto de combate por la Independencia de Cuba sin otra ambición que obligar a los cubanos a que amen a los míos y me recuerden mañana con cariño." [20] El general ha omitido de la lista de corresponsales a quienes responde, el nombre de Martí. Pero no ha cerrado la puerta.

De estas gestiones conspirativas de 1887 nada resultó, en definitiva. Pero en esa carta encontramos, en esquema, muchos de los elementos que posteriormente han de

---

[18] Vid. Ramón Infiesta, *Máximo Gómez*, Miami, 1977, p. 135.

[19] Infiesta, op. cit., p. 139.

[20] Cit. por Carlos Márquez Sterling en *Biografía de José Martí*, Barcelona, 1973, p. 401.

constituir las bases del Partido Revolucionario Cubano. Había que "aguardar a la preparación racional de la guerra" antes de llevar al país la invasión armada. Y esa preparación previa requería:

"1- Acreditar en el país, disipando temores y procediendo en virtud de un fin democrático conocido, la solución revolucionaria.

"2- Proceder sin demora a organizar, con la unión de los jefes afuera -y trabajos de extensión, y no de una mera opinión, adentro- la parte militar de la revolución.

"3- Unir con espíritu democrático y en relaciones de igualdad todas las emigraciones.

"4- Impedir que las simpatías revolucionarias en Cuba se tuerzan y esclavicen por ningún interés de grupo, para la preponderancia de una clase social, o la autoridad desmedida de una agrupación militar o civil, ni de una comarca determinada, ni de una raza sobre otra.

"5- Impedir que con la propaganda de las ideas anexionistas se debilite la fuerza que vaya adquiriendo la solución revolucionaria." [21]

Cuatro años han de transcurrir para que los criterios organizativos de Martí sobre el movimiento revolucionario cubano -que mucho maduraron en este período- comenzaran a ponerse en práctica. Fueron cuatro años decisivos. En Cuba, el fracaso de la política reformista y conciliadora del Capitán General Manuel Salamanca conduce, al morir éste, a una feroz intensificación del integrismo oficial. El autonomismo pierde sus atractivos. Su órgano oficial *El País* se queja amargamente: "Tras doce años de penoso batallar contra la acción combinada de la intriga y la violencia..., se en-

---

[21] Martí, op. cit., vol. 1, pp. 218-219.

cuentra el pueblo cubano en peor condición que en 1878, con el alma herida por el desengaño y la paciencia agotada por el sufrimiento..." [22] El anexionismo, siempre al acecho, trata de aprovecharse de la situación. Pero, en verdad, lo que crece en el país es el separatismo radical, un independentismo ya maduro, que espera por la organización de un movimiento serio y pujante para incorporarse a la lucha. La presencia de Maceo en Cuba a principios de 1890 enciende los ánimos. Pero la acción de un general aislado, por grande que éste sea, no bastaba ya. Hacía falta algo más.

Por otro lado, el expansionismo imperialista de los Estados Unidos se hace cada vez más evidente. La prensa lo expresa sin rebozo ni pudor. En el *Sun* de Nueva York puede leerse: "Compramos Alaska, sépase de una vez, para notificar al mundo que es nuestra determinación formar una unión de todo el norte del continente con la bandera de la Unión flotando desde los hielos hasta el istmo, y de océano a océano." [23] Es un secreto a voces que el embajador nortamericano en Madrid negocia en la oscuridad la compra de la isla de Cuba. Y en el Congreso de Washington, la Cámara estalla en aplausos cuando uno de sus miembros, el representante Chipman, declara que ya es tiempo de que ondee la bandera de las barras y las estrellas en Nicaragua como un estado más de la Federación del Norte. Como dice Martí en un artículo, "urge ponerle cuantos frenos se puedan fraguar" a esa marcha imponente, para pararla en seco. Y uno de ellos es la independencia de Cuba. La causa mambisa cobraba así dimensión mundial.

---

[22] Cit. por Mañach, op. cit., p. 207.

[23] Cit. por Carlos Márquez Sterling, op. cit., p. 417.

Simultáneamente crecía por entonces la reputación de Martí. Sus artículos aparecían en la prensa de Argentina, Uruguay, México, Honduras, Colombia, y su prosa despertaba el entusiasmo de figuras tan altas como Darío y Sarmiento, quien lo comparaba con Víctor Hugo. En 1890, con la publicación de sus *Versos Sencillos,* su puesto de pionero de la nueva poesía en América queda asegurado y es reconocido por todos. Pero su renombre trasciende el mundo de las letras. Argentina, Paraguay y Uruguay lo tienen como su cónsul en Nueva York. Y en 1891 representa a este último país en la Conferencia Monetaria Internacional de Washington. Allí, a nombre de Brasil, Chile, Argentina y Uruguay, presenta un informe en inglés recomendando el bimetalismo, enfrentándose a la política del Secretario de Estado norteamericano James G. Blaine, al que acabó por ganarle la partida. Antes de cumplir los cuarenta años, Martí era ya una figura continental en las letras y la diplomacia. En prestigio, nadie le superaba en el exilio cubano de la época.

Cuando las condiciones están maduras, cualquier chispa provoca un incendio. A fines de noviembre de 1891, invitado por el Club Ignacio Agramonte de Tampa, pronuncia en esa ciudad dos discursos famosos: el de "Con todos y para el bien de todos" y el de "Los Pinos Nuevos". Y la emigración, entusiasmada, aprueba unas Resoluciones seminales. En la tercera de ellas condensa Martí las ideas que ha venido proclamando desde 1882: "La organización revolucionaria no ha de desconocer las necesidades prácticas derivadas de la constitución e historia del país, ni ha de trabajar directamente por el predominio actual o venidero de clase alguna; sino por la agrupación, conforme a métodos democráticos, de todas las fuerzas vivas de la patria; por la hermandad y acción común de los cubanos residentes en el extranjero; por el respeto y auxilio de las repúblicas del mundo, y por la creación de una República justa y abierta, una en el territorio, en el derecho, en el trabajo y en la cordialidad, levantada con todos y para el bien de todos." [24] Unidad, acción común, democracia: todo lo contrario de los viejos métodos ya fracasados.

Sobre estos cimientos se fundará, pocas semanas después, en enero de 1892, en Cayo Hueso, el Partido Revolucionario Cubano. Sus Bases y sus Estatutos Secretos marcan un nuevo camino organizativo. Nada de improvisaciones mal dispuestas y discordes. Paciente integración de todos los factores: frente único de todas las agrupaciones de la emigración. Amplia alianza de las dos generaciones revolucionarias ("pinos viejos" y "pinos nuevos"). Articulación del movimiento interno del país con el del exilio. Elección democrática de los jefes, de modo que la preparación de la guerra lleve en germen el espíritu de la futura República libre. Propaganda sostenida de los fines y métodos del Partido, de modo que a su alrededor se congregue dentro de la Isla su evidente voluntad independentista. Acopio de fondos para la adquisición de las armas indispensables con que iniciar el levantamiento.

El Partido se compone de todas Asociaciones organizadas de cubanos que acepten su programa y cumplan con los deberes que él impone. Estas asociaciones locales constituirán la base de la autoridad del Partido. En las localidades donde hubiera más de una Asociación funcionará un Cuerpo de Consejo integrado por los Presidentes de las mismas. Para coordinar los trabajos, el Partido tendrá al frente un Delegado y un Tesorero, electos anualmente por las Asociaciones. Es decir, que los clubes se agregan y coordinan en condicio-

---

[24] Martí, op. cit., vol. 1, p. 272.

nes de absoluta igualdad. Y el Delegado queda sometido a su vigilancia y consejo constantes. Al darle el nombre de Delegado (y no de Presidente) al máximo ejecutivo de la organización Martí ponía el énfasis en el carácter profundamente democrático del nuevo Partido, tan distinto del de las anteriores "juntas" de militares o de caudillos. [25]

Contando con una base conspirativa cada día más coherente y efectiva, Martí, como Delegado, realiza una labor prodigiosa de organización y de propaganda. Funda el periódico *Patria*, para darles una voz y un vigoroso nexo organizativo a los clubes. Y a mediados de 1892 ya puede pasar a una segunda etapa del proceso revolucionario: la organización del "ramo de la guerra". También este hecho debe estar presidido por el más hondo espíritu democrático. Los jefes no deben imponerse sino elegirse. El 29 de junio de 1892 el Delegado, "siempre decidido a compartir su labor con cuantas entidades y pericias puedan ayudar al prestigio y éxito de la revolución", y siempre "fiel al espíritu del Partido" se dirige a los Presidentes de los Cuerpos de Consejo de cada localidad, para pedirles que a la mayor brevedad reunan "a todos los militares graduados en la guerra de Cuba" que allí residiesen "y les tome voto sobre cual deba ser a su juicio el jefe superior con quien la Delegación deba entenderse para poner en sus manos, dentro del plan general, la ordenación militar del Partido... Recogido el voto, la Delegación obrará de acuerdo con él. Esta es la obra gloriosa, y completa, de todos. No es la obra vanidosa e incompleta, de uno." [26] El Delegado se empeña en que "todos los actos con que preparemos nuestra

---

[25] Ver las *Bases* y los *Estatutos Secretos* en Martí, op. cit., vol. 1, pp. 277-284.

[26] Martí, op. cit., vol. 2, pp. 43-44.

república tengan, a la vez que la rapidez y sigilo necesarios en tiempos de guerra, todo el espíritu y todos los métodos republicanos." [27] ¿Habrá que repetirlo? Los fines son legítimos hijos de los medios...

Mientras se realiza esta tarea, se acomete la de establecer los lazos necesarios entre el Partido del exilio y la agitación separatista dentro de la Isla. Martí ya ha establecido contacto con su antiguo amigo y co-conspirador Juan Gualberto Gómez. Ahora envía a Cuba, con detalles y orientaciones precisas a un delegado oficial, el comandante Gerardo Castellanos, quien debe hacer énfasis en el carácter nuevo del partido, en su organización democrática, en su propósito unitario, que no excluye a los autonomistas arrepentidos, ni predica el odio contra los españoles por el simple hecho de serlo. Y que no prepara una aventura militar sino una guerra seria, rápida y eficaz. Castellanos debe dejar montado, por lo menos en sus líneas generales, un aparato organizativo dentro del país. Cuando regresa a los Estados Unidos puede informarle al Delegado que lo ha logrado. Al frente de la conspiración interna, ya en marcha, deja al incansable Juan Gualberto.

El 14 de julio de 1892 un grupo de prestigiosos jefes de la Guerra Grande, con los generales Serafín Sánchez y Carlos Roloff a la cabeza, declaran públicamente su adhesión al Partido. Sólo faltaban ahora las adhesiones indispensables de Gómez y Maceo. Tras asegurarse -consultando a amigos comunes- de la posición de Máximo Gómez, Martí se traslada a Santo Domingo, mantiene tres días de largas conversaciones con El Viejo y el 13 de septiembre puede invitarlo oficialmente, en frase inolvidable, "a este nuevo trabajo, hoy

---

[27] Martí, op. cit., vol 2, p. 71.

que no tengo más remuneración que ofrecerle que el placer del sacrificio y la ingratitud probable de los hombres." [28] Gómez contesta diciendo que consagrará a la nueva revolución todas las fuerzas de su inteligencia y de su brazo. De regreso a Nueva York, Martí pasa por Kingston. Allí visita a la esposa y a la madre de Antonio Maceo. Y le besa las manos a la legendaria Mariana Grajales. Pronto el General Antonio queda integrado al movimiento. Y detrás de los dos grandes jefes se incorporan también los demás veteranos. Se ha producido el milagro. Martí ha logrado forjar la unidad cubana. Y con los inevitables tropiezos, venciendo todas la dificultades, la Revolución libertadora, ya indestructible, avanza. El 24 de febrero de 1895 estalla en toda la Isla la guerra de independencia, preparada por el Partido Revolucionario Cubano. Una guerra contenida en semilla en aquel incidente, aparentemente oscuro e insignificante, ocurrido el 18 de octubre de 1884 en el hotelito neoyorquino de madame Griffou.

---

[28] Martí, op. cit., vol. 2, pp. 162-163.

MAXIMO GOMEZ: EL ROMANTICO
(O EL SINDROME DE LAS DOS BERNARDAS)

El *Diario de Campaña* de Máximo Gómez es una fuente de valor inestimable tanto para la historia de Cuba como para la biografía del autor. Desde enero de 1868, en una serie de libretas, el General fue registrando, casi siempre en forma muy sucinta, los detalles de su cotidiano quehacer revolucionario. En Septiembre de 1884, en una de las anotaciones más detalladas, el *Diario* nos entrega un documento sorprendente. En vez de una acción guerrera o una gestión conspirativa nos ofrece una inesperada confesión íntima. Vale la pena citar *in extenso*:

"Cuando nos levantamos en Bayamo en Octubre del 68 i -después que los españoles volvieron más tarde a recuperarlo o mejor dicho sus cenizas, las familias todas se refugiaron en los campos i un día que con la fuerza que yo mandaba, me dirijí a un punto que llaman San Luis, para dar descanso a la gente con que acabamos de dar el ataque a Guisa, pueblo no muy distante de allí... en este lugar me encontré varias familias, a las cuales pertenecía una niña llamada Bernarda Figueredo. Su vista me causó tal impresión, que vacilé dos días para continuar mi marcha; por fin, obedeciendo a la voz del deber pude arrancarme de aquel lugar donde dejaba a la mujer que por primera vez había despertado en mí una pasión tan ardiente, que yo sentía devorarme. Yo no dije ni una palabra a la niña, pero ni siquiera una mirada que le diese a comprender cuanto sentía por ella.

"Salí pues de aquel lugar con el alma llena de tristeza y sin esperanzas - pasaba el tiempo i la imagen de aquella mujer me perseguía por doquiera, i siempre hasta en medio de los combates la recordé muchas veces.

"Algún tiempo después, supe que las familias se habían refugiado en las filas enemigas; única manera de salvarse de la barbaridad española.

"Perdí entonces toda esperanza de verla otra vez.

"Después, el nombre de Bernarda que lleva otra mujer, hizo eco en mi corazón, i como la encontré digna de mí la elegí por mi compañera -un secreto de mi corazón sin que ella pudiera saberlo; por coincidencia de nombre i algún parecido en el carácter, i de genio, con la primera que me inspiró tanto amor; necesariamente mucho influyó, debía inclinarme hacia ella...

"Nunca me he podido olvidar de Manana Figueredo, i cuando supe que se había casado, mi primera pregunta fue que si había sido con un español; -no, me dijeron: con un cubano. Me sentí alegre porque pensé que sería feliz.

"A esa mujer la he encontrado aquí después de tantos años, en Cayo Hueso al lado de un buen esposo que amo tanto como ella porque creo la hace feliz - porque lo que siento ahora por Manana Figueredo, es un afecto tan dulce y delicado que me complace, i hace sentirme tan bien cuando pienso que ella i él son felices; yo me constituiría -como una fortuna para mí- en celoso guardián de su felicidad, del mismo modo que lo hago con mi esposa i mis hijos.

"Ojalá pueda yo ayudar eficazmente la independencia de su patria, juramento que a solas me repetí en día dichoso que la conocí en San Luis de Bayamo; i que ahora, después de algunos años i a través de tantas peripecias en la vida de cada cubano, en la mía misma, he vuelto a verla. Y repetirlo.

"A ella le debo sin duda, la mujer a quien he dado mi nombre, i sin duda será por eso que amo tanto a Manana Toro. Hay también un lugar distinguido en mi corazón para Manana Figueredo al lado del dulce recuerdo de mi madre."[1]

La lectura de estos párrafos conduce a una inescapable conclusión: Gómez era un romántico.

¿Un romántico?

Para los cubanos, Máximo Gómez es, ante todo, el Generalísimo: el padre de la estrategia y la táctica militares de nuestras   guerras libertadoras. Lo pensamos siempre a caballo, con el perfil aguileño indicando el camino a la tropa mambisa que lo sigue. Es el hombre de la guerra de guerrillas. El hombre de la carga al machete. El maestro de la guerra total. Y el arquitecto, tanto en la Guerra del 68 como en la del 95, de la maniobra fundamental de la Invasión.

Gómez es, para nosotros, el máximo disciplinario. Fanático de la unidad, temeroso de las desviaciones políticas

---

[1] Máximo Gómez, *Diario de campaña*, 1868-1899, La Habana, 1968, pp. 178-179. Hemos respetado la ortografía y los giros sintácticos del autor.

y éticas a que puede conducir fácilmente toda acción guerrillera, aplicaba la disciplina castrense con celo inquebrantable, a todos por igual, altos y bajos, oficiales y soldados, utilizando desde el planazo y el cepo hasta el fusilamiento cuando lo exigían las circunstancias. Por algo pudo decir Orestes Ferrara -y no en broma- que los mambises le tenían más miedo a Gómez que a los españoles. Y por eso creó el general esa fama de autoritario y hasta de despótico que le acompañó toda la vida.

No le ayudaba su carácter irascible, malhumorado, imperativo, adusto, seco, severo, áspero: "duro" lo llamó él mismo en una ocasión. Aunque es verdad que hasta sus detractores se veían obligados a admitir que tan inflexible era consigo mismo como con sus subordinados. (Recordemos la repetida anécdota: Cuando un asistente le trae cierta vez el pobre rancho nocturno Gómez se niega a tocarlo. Al levantar el campamento esa mañana había dejado atrás, olvidados, varios documentos. A pesar de que logró recuperarlos, para él era una falta grave. "Como no tengo jefe superior que me castigue como merezco, me castigo yo mismo. Hoy no como.")

Por lo demás, digamos entre paréntesis, a pesar de que nada pudo cambiarle su mentalidad y sus actitudes de soldado, jamás se dejó tentar Gómez por el caudillismo. Desde temprano decidió obedecer ciegamente a las autoridades civiles de la Revolución, cualquiera que fuera el Gobierno vigente y los hombres que lo constituyeran. Y, aun frente a muy poderosas y deleznables provocaciones, siempre cumplió con ese juramento.

Basta recorrer cualquier biografía del Generalísimo para constatar que esta imagen de austeridad, rigor, brusquedad y rudeza presenta una contrapartida, generalmente olvi-

162

dada: la del hombre tierno, "sentimental, sensible y sensitivo" que había también en él. Ese ogro era, a la vez, el padre cariñoso, el hijo amantísimo, el amante delicado, el amigo generoso y fiel. Y, sobre todo, el hombre capaz de sufrir todas las penalidades y aceptar todos los sacrificios en aras de su ideal.

Gómez tenía plena conciencia de las fuerzas contradictorias que guerreaban en su psique. En carta a María Escobar se refiere a su "carácter extremoso, de la brusquedad a la dulzura... todo el fondo mío queda velado por esas dos distintas fases." [2] Por eso era, al mismo tiempo, optimista como revolucionario y pesimista -y hasta fatalista- en su intimidad de hombre privado. "El genio de la fatalidad me persigue", escribía en 1887. Y en 1901, cuando nadie le discutía el puesto de líder máximo de los cubanos ya liberados del yugo colonial hispano: "Mi hado siempre se ha ocupado en proporcionarme contrariedades en el camino de mi vida; desde niño he sido víctima de semejante ley de mi destino." [3] Gómez fue siempre un insatisfecho, un hombre en batalla permanente consigo mismo y, en consecuencia, permanentemente consumido por la más honda emotividad. Y ¿no es el predominio de la emoción, esa creencia de que lo humano esencial rebasa la esfera de lo mero racional, uno de los ingredientes distintivos del espíritu romántico? [4]

Pudiera alegarse que el romanticismo andaba en plena declinación cuando Gómez se asoma al panorama históri-

---

[2] Carta citada por Leonardo Griñán Peralta en *El carácter de Máximo Gómez*, La Habana, 1946, p. 109.

[3] Griñán Peralta, op. cit., pp. 112-113.

[4] Véase: M. Gras Balaguer, *El Romanticismo como espíritu de la Modernidad*, Barcelona, 1983, passim.

co. Casi toda la vida del general transcurre en la segunda mitad del siglo XIX. En Europa ésta es la era del post-romanticismo. A pesar del fracaso de las revoluciones de 1848 y 1849, la burguesía y las clases medias europeas logran en las décadas posteriores de la centuria un decidido acomodo económico y político. Y hasta los trabajadores comienzan a encontrar un puesto bajo el sol. La temperatura ideológica y propagandística en general baja de tono.

En Cuba, sin embargo, la intransigencia de la monarquía española mantiene en pie la vieja situación colonial y los viejos problemas políticos. Por lo que siguen encendidas al rojo vivo hasta 1898 las mismas ansias, las mismas pasiones y las mismas consignas. Nuestras guerras nacionales por la independencia fueron hechas por las dos últimas generaciones románticas. Una línea continua engarza el espíritu de José María Heredia con el de José Martí. La diferencia entre ambos reside más en la forma expresiva que en el estilo de vida. Heredia clausura el Neoclasicismo en que creció para abrirle la puerta al Romanticismo. Martí, con su prosa y su verso, sus ritmos y sus imágenes, se mueve -y nos mueve- del Romanticismo a la Modernidad. Aunque, en definitiva, el soplo existencial que late en su obra nunca varió de onda ni de temperatura. Rubén Darío bien lo explica con su famosa pregunta: "¿Quién que ES no es romántico?" Martí seguramente hubiera aceptado la tesis. [5]

Es bien sabido que fue el romántico un movimiento muy fluido, muy proteico, muy polivalente. A veces hasta

---

[5] Debido al modo como terminó el conflicto hispanocubano, esa postura romántica penetra en nuestra vida política postcolonial y va a marcar la sensibilidad cívica de las generaciones republicanas hasta el presente. Este es un tema muy digno de estudio detallado.

contradictorio. Aunque lo acostumbrado es que se le mire como una escuela literaria o artística, su influencia desborda con mucho esos límites. El romanticismo es una situación anímica, una postura vital, una concepción del mundo. Ante todo, el romántico es un hombre plenamente consciente de su singularidad, de su individualidad, de su excepcionalidad, que considera radicalmente separadas del resto de la naturaleza y hasta del cosmos. Es un hombre que se guía por el apotegma de Rousseau: "No estoy hecho como nadie más." [6]

Este particularismo se vierte en dos moldes psicológicos fundamentales. Hay quienes movidos por este poderoso apetito de autoafirmación, desafían al mundo escapando de él y acaban por sumergirse en las profundidades de su yo, exiliándose dentro de sí mismos en una niebla de pesimismo y desesperación. En Cuba, ése es el caso de un Julián del Casal, por ejemplo. En el otro extremo, tenemos a los románticos "activistas" que se proponen cambiar la realidad que desafían, sin temor a las consecuencias, sin temor a los sacrificios que esta acción demande. Son aquellos que propugnan una visión mesiánica de la historia y hasta una nueva escatología. Son, en Cuba, los José Martí y los Máximo Gómez. [7]

El individualismo romántico conduce siempre al amor a la libertad y a la rebeldía contra todas las trabas, todas las cadenas. El "activista" funde esa inconformidad con un empeño de transformación profunda del orden material y

---

[6] Lo que desde luego no es un tema exclusivo del romanticismo, aunque éste sin él dejaría de ser lo que es.

[7] Véase a este respecto: Norman F. Cantor, *Perspectives on the European Past: Conversations with Historians*, Nueva York, 1971, Vol. II., pp. 128 y ss.

social que ha heredado. Y cuando los cambios que busca no se producen, deviene un insurrecto. Este modelo de vida es inconcebible sin una Gran Causa a la que hay que entregarse por entero. La lucha por la Causa debe convertir al individuo en Héroe, un ser que en su dedicación apasionada sólo exige como recompensa la gloria por el deber cumplido.

Primero en sus años mozos en Santo Domingo y luego, ya en su madurez, en Cuba, la vida de Gómez cae de lleno dentro de esos parámetros valorativos. En su suelo natal es su incorporación temprana a la defensa de la integridad de su patria frente a la invasión haitiana. En su tierra de adopción es su entrega absoluta, desde 1868 hasta el fin de sus días, a las causas gemelas de la independencia nacional y de la abolición de la esclavitud.

Es cierto que en 1863, a los 27 años de edad, Gómez toma una decisión política que parece contradecir radicalmente la que cinco años después va a darle norte y sentido definitivos a su existencia: jura lealtad al gobierno español que acababa de establecerse en Santo Domingo, incorporándose con el grado de capitán a la Reservas Dominicanas. Pero no debe olvidarse que ese hecho se debe, sobre todo, a la profunda confusión de motivos políticos que privó en ese país en el quinquenio de 1860 a 1865. Los líderes más destacados del movimiento indepedentista, con Pedro Santana a la cabeza, son precisamente quienes gestionan el protectorado español y la presencia de las tropas de Isabel II en la isla. En tal actitud influía, en no poca medida, el temor a otra invasión haitiana y las incesantes maniobras diplomáticas de Estados Unidos, Inglaterra y Francia.

Hay que ver cuán romántica suena la fervorosa adhesión de Gómez a su nueva patria. En su *Diario*, Cuba es llamada "la novia", "la muchacha". Y va siempre unida en el recuerdo y la adoración a su Santo Domingo natal. Máximo Gómez es hombre con dos patrias. En uno de sus viajes, el 11 de abril de 1885, al atravesar el Paso de los Vientos, da vista -escribe él mismo- "a las dos Antillas: Santo Domingo y Cuba, los dos pedazos de tierra de mis ensueños. En la primera dejé mi cuna y quien sabe si en la segunda tendré mi sepultura. En la primera recibí el primer beso del amor más puro. En la segunda, recibí el último. Allí enterré a mi madre." [8]

Y continúa, con ánimo exaltado: "¡Oh Patria mía! Veinte años hace que te dejé y no había podido mirarte ni una sola vez -errante y proscripto no he pasado hasta ahora junto a tí. No me culpes de ingrato. Aun no era bastante hombre cuando mi destino me empujó hacia otras playas... Después has vivido siempre en mi corazón, con todos tus recuerdos. Estos jamás se borran. No, no me creas ingrato Patria mía. Por eso no quiero, tierra adorada, pisar otra vez tus playas, no quiero que nuevamente las puras brisas de tus campos refresquen el calor de mi frente; no caiga sobre mí la luz purísima de tu cielo sin nubes, mientras no lleve un nombre digno de tí. Entonces iré, amada Patria mía, y orgullosa podrás perdonarme; yo humilde seré feliz... Y tú, oh Cuba infeliz -tierra donde tanto he sufrido y llorado- tú que guardas los restos sagrados de la mujer que más me amó y amé- mi destino se encuentra ligado a tu destino por un lazo de honor y de amor. Yo lucharé por tu redención hasta triunfar o morir, para que mis restos queden también en la

---

[8] Gómez, *Diario de Campaña*, p. 187.

tierra que guarda los de mi madre y sobre el polvo sea plan
tada la enseña de los libres..." [9]

Es ésta una elocuente expresión de nacionalismo, de
espíritu patriótico, que -como es bien sabido- desde los
tiempos de Herder constituyen ingredientes siempre presentes en los movimientos románticos. [10] Por eso no puede
extrañar que en un discurso a sus tropas antes de lanzarlas a
un combate Gómez las arengue con las siguientes palabras:
"Estamos todos al servicio de la Patria, que es hoy nuestra
madre, nuestra esposa, nuestra hija; tiene hoy todos nuestros afectos, nuestra pasión merecida." [11] ¿No es éste, tanto
por la forma como por el contenido, un lenguaje saturado de
las más puras esencias románticas?

Madre, esposa, hija, tierra, suelo, patria. Como buen
campesino que era, Gómez une siempre sus mejores afectos
con la naturaleza que lo rodea. Su pasión bucólica es otro
elemento romántico de su estilo vital. En sus primeros tiempos en Cuba lo aplasta la nostalgia, el recuerdo permanente
de lo que acababa de perder: el recuerdo "de mis Valles, de
mis Ríos, de mis Flores, de mis Amigos y todos mis amores."
[12] Luego traslada ese sentimiento a su país de adopción.
Cuando, después del Pacto del Zanjón, se entera de que uno
de sus capitanes se trasladaba a Cuba, le envía un recado en

---

[9] Ibidem, pp. 187-188.

[10] Véase a este respecto: Esteban Tollinchi, *Romanticismo y
Modernidad: Ideas fundamentales de la cultura del siglo XIX*, Río Piedras,
1989, Vol. II, pp. 792 y ss.

[11] Cit. por Orestes Ferrara, *Mis relaciones con Máximo Gómez*,
Miami, 1987, p. 138.

[12] Máximo Gómez, *Obras Escogidas*, La Habana, 1979, p. 29.

carta a un amigo común: "...Diga a los amigos y compañeros queridos que están allá, que moriré con el corazón cubano; que no puedo olvidar ni al Toa, ni al Cautillo, ni al Yao, ni al Yara, ni al Cauto, ni al Zaza, ni al Tana, ni al Najasa. Que aun resuena en mis oídos, como latidos del corazón, el murmullo de esas aguas donde tantas veces nos lavamos el polvo de gloriosos combates." [13] Como buen romántico está convencido de las bondades de la naturaleza. El mundo rural es la morada de la virtud. El mundo urbano la residencia del pecado. En carta a Francisco Carrillo le dice: "Yo creo que todo lo malo baja de lo más alto, todas las pudriciones, las grandes llagas, las tuberculosas, no se encuentran fácilmente en la aldea. Están en la Gran Ciudad. Van luego a buscar su curación o a esconderse en la aldea." [14]

Estos sentimientos explican por qué le fue tan fácil pasar al dominicano de oficial del ejército español emigrado a Santiago de Cuba en 1865 a militante de la rebelión antiespañola centrada en la región de Bayamo en 1868. Al ser licenciado, Gómez se traslada con su madre a Guanarrubí, una pequeña finca que arrendó en las afueras del pueblo de El Dátil situado a unas dos leguas de Bayamo, para dedicarse al negocio de la venta de maderas. Pronto se percata de que ha caído en un avispero conspirativo. En una nota redactada casi al final de sus días el general, en su habitual tono romántico, explica como ingresó en el movimiento revolucionario. Relata su visita a la finca San Luis del Corojo, en la

---

[13] Ibid, p. 18.

[14] Carta de Gómez a Carrillo (sin fecha, pero probablemente de 1897). En *Máximo Gómez: Cartas a Francisco Carrillo*, La Habana, 1971, p. 164.

región bayamesa, donde su dueño Don Eduardo Bertot, tras presentarlo a su familia, lo invitó a pasar al cuarto privado donde dormía el matrimonio.

"Yo no salía de mi asombro -escribió Gómez-; todo aquello me parecía extraordinariamente sagrado; era una escena de gran efecto. Don Eduardo, sin más testigos que yo, se sentó en la cama ricamente adornada, mientras me ofrecía un cómodo sillón, cerca de él. Trató a fondo la cuestión, exponiéndome el proyecto que se venía madurando para lanzar a Cuba a una revolución contra España, y como era natural, contaba con el elemento dominicano. Apenas había expuesto su idea, apareció la niña mayor, Ninita, por una puerta reservada, llevando en sus manos una bandeja de plata con lujoso servicio de café y dos tazas de este rico néctar, ofreciéndome una de ellas. Impresionado como me encontraba por las palabras del patriota, lo sagrado del lugar que nos servía de escena, la presencia de aquella joven que me pareció una vision celeste, y la cortesía que se me dispensaba, ejercieron tal impresión en mis sentidos no acostumbrados sino a la soledad y el olvido, que, debo confesarlo, quedé anonadado, fascinado y dispuesto a secundar los planes del patriota. Acepté cuanto se exigió de mí, y desde aquel instante quedé iniciado en la conspiración y obligado a seguir los destinos de aquel pueblo que, herido por las mismas manos que el mío, solicitaba mi concurso." [15] Dos veces usa Gómez en este párrafo la palabra *escena*. Es evidente que ese episodio de su vida era para él parte de una drama, de un drama romántico.

---

[15] Máximo Gómez, *Revoluciones... Cuba y Hogar*, Santo Domingo, 1986, pp. 16-17.

Del mismo corte es el concepto que tiene Gómez del pueblo como protagonista de la historia. Su populismo pertenece al mismo linaje de ése que Víctor Hugo hace vibrar en el prólogo famoso de su *Hernani*: "Esta voz alta y poderosa del pueblo, que asemeja la de Dios, quiere que de ahora en adelante la poesía tenga la misma consigna que la política: tolerancia y libertad." Para Gómez el verdadero pueblo reside en las capas no privilegiadas de la sociedad: en los campesinos, en los trabajadores, en los esclavos. Ellos parecen poseer una instintiva orientación hacia lo verdadero y lo justo. Se lo dice en una carta al general Carrillo: "Yo tengo mucha fe en el pueblo, siento amor por el pueblo y esto debe ser inspirado por algo más positivo que las palabras, por lo que ese pueblo tiene de bueno y sufrido. Cuando él se desvía o procede de un modo torcido son responsables sus directores. Las desviaciones las hace el ingeniero. Cuando los soldados de un cuerpo desertan o no son decentes, échame acá, digo yo entonces, al Jefe y a los Oficiales." [16]

Por eso el programa que propugna es liberal en el más hondo sentido del vocablo, al defender en primer término los intereses de las clases más preteridas y explotadas en la Cuba de su tiempo. Por eso su populismo liberal proclama, a la vez, el independentismo y el abolicionismo, la democracia política y la social. Su visión de la realidad cubana va a coincidir en sus líneas fundamentales -en lo económico, lo político, lo social (en general) y lo racial (en particular)-

---

[16] Carta del General Gómez a Francisco Carrillo (sin fecha, probablemente de 1887). Véase: Máximo Gómez, *Cartas a Francisco Carrillo*, La Habana, 1971, p. 164.

con el programa del 24 de febrero que hemos resumido en el ensayo precedente, al que remitimos al lector. [17]

Queda por examinar un importante elemento de la ideología romántica que también aparece en el pensamiento de Máximo Gómez: el concepto del amor, obviamente representado en los párrafos sobre las dos Bernardas citados al comienzo de este ensayo. De todas las pasiones y todos los sentimientos del hombre, ninguno tan avasallador para el romántico como el amor, que muchas veces alcanza en ellos una dimensión casi mística, panteísta, cósmica. Como bien dice Tollinchi: "En la práctica, el simple amor físico se transforma en un ideal cuasi religioso, al que nos acercamos pero no alcanzamos nunca." [18]

Reaccionando contra el modelo amoroso del siglo XVIII, amor galante y frívolo, pura aventura sensorial, que rinde culto al placer, a la voluptuosidad (amor del boudoir rococó), el romanticismo exalta en el siglo XIX una visión ennoblecida de la pasión amorosa, rechazando el modelo de las cortesanas, de las demi-mondaines, y colocando en el altar a la mujer virginal, dechado de virtudes, destinada a sufrir y hasta morir consumida por su delirio. Mujer adorada, casi divinizada, intocable, mujer totalmente imposible de alcanzar. Este amor adquiere así una dimensión nostálgica que parece buscar sus raíces en el famoso "amor cortés" de los trovadores provenzales. ¿No se califica a la melancolía, en el René de Chateaubriand, como "el placer más duradero del corazón del hombre"?

---

[17] Véase también nuestro artículo "El pensamiento social de Máximo Gómez" en *América*, Febrero-Marzo 1946, pp. 22-28.

[18] Tollinchi. op. cit., Vol. I, p. 333.

A la luz de la curiosa confesión del Diario de Campaña, la vida erótica de Máximo Gómez resulta mucho más compleja de lo que aparece en la superficie. El general había contraído matrimonio en plena manigua irredenta, el 4 de junio de 1870, con una jovencita jiguanicera de dieciséis años a quien le duplicaba la edad. Su nombre -¿qué cubano no lo recuerda?- era Bernarda Toro y Pelegrín, la sin par Manana, una de las innumerables y extraordinarias mujeres mambisas del 68 y el 95 a las que nuestra historiografía no ha sabido hacer justicia todavía.

Leonardo Griñán Peralta ha resumido muy bien las relaciones entre los esposos: "Todo hace pensar que, no obstante su edad, Manana fue para Máximo Gómez algo así como lo que había sido doña Clemencia (su madre). Y es aquí donde se encuentra la explicación de por qué pudo sentirse tan bien en su casa quien tan mal se sentía fuera de ella. Su madre primero, su esposa después, le dieron el mimo necesario para su alma. Y no pudiendo encontrar ese cariño fuera del sector familiar, Máximo Gómez, entre personas extrañas, se sentía como en tierra enemiga. No otra debe haber sido la causa de que... su misantropía llegase a ser casi tan fuerte como su amor al hogar. En Manana encontraba... el aliento necesario para su desalentador pesimismo y el sedante conveniente a su irritabilidad." [19]

La juventud de Gómez en su Santo Domingo natal tuvo bastante de donjuanesca. Al salir para Cuba en 1865 dejaba atrás varios hijos ilegítimos. Mas al casarse parece haber cambiado de hábitos sexuales. Siempre respetó y mostró hondo amor por su esposa, quien le correspondió con total adoración y pleno acomodo al concepto patriarcal de la

---

[19] Griñán Peralta, op. cit., p. 15.

familia típico de su tiempo, una organización polarizada donde privaba la voluntad absoluta del varón.

Había en ese matrimonio, sin embargo, algo más. Había una plena identificación ideológica. Y una consagración absoluta de la vida familiar al ideal patriótico que la unía. Jamás protestó Manana de las privaciones que le imponía la dedicación de su marido a la conspiracion revolucionaria y a la guerra liberadora. Fue esposa y, a la vez, compañera de lucha, siempre decidida al sacrificio, siempre dispuesta a no convertir en pan lo que Cuba necesitaba para pólvora, según le escribió el 9 de agosto de 1895 al Delegado Don Tomás Estrada Palma. Gómez supo apreciar en todo lo que valía esa generosa solidaridad.

Sin embargo, ahora sabemos que en el secreto de su corazón guardaba el áspero militar el delicado recuerdo permanente de un amor imposible, concebido y mantenido dentro del más estricto molde romántico: impresión repentina; aparición mística; enamoramiento fulminante; paralización volitiva; idealización del objeto amoroso; secreto inviolable; anhelo infinito; delectación nostálgica; afán renunciatorio; callado, reservado, silencioso, inefable misterio. Bernarda Figueredo lo condujo a Bernarda Toro. La mujer ideal lo llevó a la mujer real. Y ambas se fundieron en una sola imagen apasionada de hondo contenido religioso, que sirvió siempre de norte al costado erótico de su espíritu.

Y todavía nos reserva Gómez otra sorpresa en esa confesión inesperada. Recordemos que, al ponerle punto final, renueva el juramento que a solas había formulado en San Luis de Bayamo, de dedicar su vida a luchar por la independencia de la patria de Bernarda Figueredo. Identifica así el amor a la mujer con el amor a Cuba. Y como caballero armado al servicio de ambas, funde su concepto del deber

174

con su ansia de gloria: "Olvídate de tí, sobre todo olvídate de este miserable pedazo de carne y hueso que es tu ser físico... Morir es una gloria, no un dolor; los que mueren serán los mejores; ellos vivirán más en la memoria de todas las generaciones." [20] En un irónico vuelo dialéctico, el héroe romántico busca su realización plena en la aniquilación de su ser material, entregándose a los demás. Ellos lo mantendrán vivo para siempre en su recuerdo colectivo. De ese modo, trabajar para la gloria es trabajar para la inmortalidad.

Romántico hasta la médula, el conspirador, el militante revolucionario, el guerrero libertador no puede separse nunca del hombre individual. Máximo Gómez aplica a sus amores cívicos la misma medida que a sus pasiones privadas. Pudiéramos decir que él adoró con idéntica intesidad emocional no a dos sino a tres Bernardas. La tercera fue Cuba, su "novia", su "muchacha", su sueño y su empeño de siempre, cuya existencia independiente y libre le proporcionó la Gran Causa: vía por donde buscó y consiguió, venciendo su ingénito pesimismo, su gloria y su inmortalidad.

---

[20] Orestes Ferrara, *Mis relaciones con Máximo Gómez*, Miami, 1987, pp. 101-102 y 138.

MACEO, HEROE CIVIL [1]

Señoras y señores:

Con su vigor inextinguible nos cerca hoy y nos manda la presencia integral de Antonio Maceo. Integral -subrayamos- porque ya la historiografía ha puesto en claro que no se dio tan sólo en nuestro prócer la voz de mando de un guerrero insigne, ni el valor legendario, ni el empuje de una vitalidad sin desmayos. No fue brazo tan sólo. Ni aun mero genio táctico y estratégico, siempre vencedor de generales y mariscales de alta escuela. Las dimensiones del Titán desbordan los marcos de la genialidad militar. Había una clarísima

---

[1] Discurso pronunciado en el Homenaje de la Universidad de Oriente de Santiago de Cuba al Lugarteniente General Antonio Maceo, el 7 de diciembre de 1952, a pocos meses del golpe de estado militar del general Fulgencio Batista contra los poderes constituidos de la Nación.

conciencia detrás del impulso incontenible: conciencia que tercamente ocultan a las generaciones actuales, tras un velo de incienso, quienes utilizan para encubrir sus fines inconfesables las glorias de Peralejo y Sao del Indio, de Coliseo y Calimete.

"Sin valor es estéril la sabiduría", dijo el clásico. Pero también es verdad que sin sabiduría, sin conciencia de su meta y su destino, todo valor alcanza apenas los bordes del coraje instintivo y ciego. Maceo fue grande porque supo unir a un claro concepto una acción eficaz. Claro concepto de Cuba, de su realidad doliente, y de los medios imprescindibles para poner fin a su prolongada esclavitud. Acción de impar eficacia, que le ganó las 27 condecoraciones de sus heridas y un puesto cimero entre los grandes militares de nuestra historia.

Quede para otra ocasión, señoras y señores, el recuento de las batallas, realizado, por otra parte, más de una vez. No está hoy la Patria para lujos de epinicios. Desde la sombra de esta hora y desde la luminosa eminencia de esta casa de estudios, que tanto me honra cediéndome su limpia y señera tribuna, rinde a mi ver mejor servicio el recordar (re-cordar es -ya se sabe- volver a pasar por el corazón) ese Maceo casi desconocido o, por lo menos, casi olvidado: el Maceo pensamiento y previsión, el Maceo estadista, el Maceo héroe civil.

La tradición civilista hunde raíces muy profundas en nuestro pasado. Guáimaro la fijó con celo exquisito. Y de la Guerra de los Diez Años salió definitivamente afirmada. Por creerla en peligro discrepó José Martí de los planes de Gómez en 1884: "Un pueblo no se funda, General, como se manda un campamento." Jimaguayú recoge la herencia sabiamente cernida por la experiencia. Y La Yaya y el texto de 1901 y el de 1940 no hacen sino plasmar en sustancia jurídica lo que a ese respecto es voluntad unánime y sostenida del pueblo cubano.

Resulta no sólo interesante, sino profundamente aleccionador, que fueran las grandes figuras militares de nuestra gesta heroica, las que con mayor respeto se inclinaran ante el poder civil. El propio Gómez, cuya vocación de mando era tan poderosa -y que, como Maceo, siempre creyó que "la guerra no pueden dirigirla más que los militares"- nunca se dejó sacar del cauce democrático, ni aun cuando llegó a Cuba en 1895 con amplios poderes del Partido Revolucionario Cubano para organizar militarmente la rebelión independentista. Como bien dijo ese otro gran héroe civil que fue Salvador Cisneros Betancourt: "La página más gloriosa del General Gómez... es aquella en que se consigna que habiéndolo nombrado la emigración cubana General en Jefe de nuestro ejército, con carácter de dictador, no bien llegó a Cuba, lejos de prevalerse de tal investidura se despojó de ella, dando las más elocuentes pruebas de proceder democrático."

El General Antonio Maceo no podía apartarse de esa corriente. Su vida está cuajada de ejemplos en que su civilismo se muestra con elocuencia impar. Evoquemos uno de esos dramáticos instantes:

Estamos en 1877. Graves disensiones dividen el campo de la Revolución Cubana. El General Maceo, en Holguín, recibe noticia de que el Teniente Coronel Limbano Sánchez se ha sublevado contra los poderes constituídos de la Revolución. Maceo le sigue el rastro. Y llega a localizarlo en Vallejo. Sin vacilar toma su decisión. No rodeará al rebelde con sus tropas. Eso podría muy bien provocar la guerra civil que precisamente está tratando de impedir. Irá solo al campamento de Limbano. Lo confiará todo a su prestigio, a su valor, a su

179

don de mando. Los ayudantes, los miembros de su escolta protestan: "Eso es un suicidio, General". Pero nadie puede torcerle el rumbo cuando él ha tomado un camino. Cerca ya de su meta, Maceo se desmonta. Avanza a pie, sin compañía, seguro de sí mismo. Pronto suena en el monte el "¿Quién vive?" casi mecánico de un centinela. Una voz imperiosa responde:

-Cuba.

-¿Qué fuerza?

-El General Maceo, Jefe de la División.

-¡Alto al Jefe de la División!, grita el centinela.

-En el territorio a mi mando nadie tiene derecho a detenerme.

El centinela apunta sobre el hombre que avanza. Pero no dispara. Porque tendría que hacerlo sobre el corazón de Antonio Maceo. Y eso no. Antonio Maceo es ya por entonces casi un mito, algo más que un símbolo: es la Revolución Cubana hecha carne. ¿Qué centinela mambí es capaz de dispararle a la Revolución?

El General ha vencido en la primera batalla. Sigue avanzando. Ya los alzados saben que él viene. El campamento se satura de gritos y toques de cornetas que llaman a "tropa". Hombres armados de machetes y fusiles asoman por doquier. De pronto, el propio Limbano es el que grita, revólver en mano, al hombre que avanza impertérrito:

-¡Alto, General Maceo!

Mas como éste sigue adelantando, con los ojos fijos en los del oficial sublevado:

-Si usted no hace alto...

Maceo, en medio del silencio que de pronto ha paralizado el campamento, sin detenerse, ya a pocos pasos de Limbano, cruza los brazos y reta, poderoso:

-¡Haz fuego, cobarde! ¡Haz fuego, que vas a matar a un hombre!

El rebelde vacila. Y el General Antonio, como un águila se lanza al asalto:

-¡Baje usted esa arma!... ¡Bájela!

Lentamente cae el brazo de Limbano Sánchez. Y la escena casi increíble culmina con estas palabras de Maceo:

-No tema usted. Me esforzaré por salvarle de la ruina que le amenaza. Entrégueme su gente y ayúdeme a volverla a la obediencia. Quedará usted detenido dentro de su propio campamento. Conservará sus armas. Cuento con su palabra.

Limbano Sánchez, bajos los ojos, pone fin al episodio:

-Usted la tiene, General.

Ahí, en esa estampa de epopeya, está todo entero el genio de Antonio Maceo. Hay coraje, valor sin lindero. Pero no derrochado en exhibicionismo insensato, sino puesto al servicio de una realidad política y patriótica. Como siempre, Maceo está al lado de la ley, por el respeto a los poderes constitucionales de la Revolución, contra el predominio de la espada, por la fraternidad cubana. Y, fiel a su consigna de entrega total de sí mismo a la causa que defiende, pone su vida como precio una vez más. Este de la civilidad es también hermoso y digno campo de batalla. "Si me mata Limbano, pensó, por lo menos Cuba y el mundo sabrán que he puesto una vez más en todo lo alto, para que la humanidad entera lo contemple, el profundo sentido civil (que es como decir democrático y civilizado) de la Revolución Cubana."

En realidad, no es ésta su primera demostración de respeto al Gobierno legítimamente establecido. Poco días antes de lo de Vallejo (exactamente el 5 de julio de 1877) ha contestado como merecía una carta del General Vicente García. En esa misiva, el sublevado de Lagunas de Varona le comunica que ha iniciado un nuevo movimiento en Santa Rita. Le pide al General Antonio que secunde la sedición. Esgrime razones. Debe constituirse una República "democrático-federal-socialista". Deben garantizarse "reformas progresistas". Son bellas palabras. Y Maceo reconoce que se siente muy vinculado a algunas de ellas. Pero aun aceptando que sean sinceras, ¿es justo el camino emprendido por García y los suyos para ponerlas en vigor? ¿No se destruyen, de ese modo, los cimientos del movimiento liberador? ¿No se mata lo mismo que se dice defender? ¿No se estará asesinando la libertad a nombre de la libertad?

Decididamente, se dice el Titán, el golpe de estado no es la salida. El alzamiento ilegal y artero contra la Constitución revolucionaria que el pueblo a sí mismo se dio, dista mucho de ser vía plausible para adelantar la causa popular. Una cosa es la rebelión santa contra los poderes espurios, caducos, antihistóricos (como el que España detentaba en Cuba) y, otra muy distinta, la asonada militar, el pronunciamiento cuartelario contra la Ley de la Revolución. Lo primero es un deber sagrado. Lo segundo, un crimen de lesa patria.

Este motín de Santa Rita es hijo de la vieja enfermedad engendrada en Lagunas de Varona. Y sobre estas cosas tiene el General Maceo formada una opinión muy firme. Mucho ha pensado sobre ellas a lo largo de los nueve años de sacrificios y heroísmos que lleva ya corridos la Guerra Grande. Su decisión tiene la fuerza de las convicciones definitivas. Obviamente la carta del eterno rebelde está demandando respuesta enérgica y rápida. Maceo la redacta con plena conciencia de estar elaborando un documento para la Historia.

"Usted se equivoca, General, -le expresa a Vicente García- al decir que todo el pueblo de Cuba estuvo de acuerdo con el movimiento de Lagunas de Varona, pues estoy persuadido que era la minoría la que pedía reformas progresistas, y conste que estuve de acuerdo con algunas de ellas, y que aun lo estoy; pero nunca apelaré a la rebelión y al desorden para hacer uso de mis derechos. No es por cierto el mejor camino el que usted ha tomado para unir a los patriotas, porque si existen disensiones entre éstos, no son tales que haya sido necesario apelar a tan reprobables medios como aquellos de que se vale usted para el reclamo de los suyos; pues para satisfacer las aspiraciones del pueblo no es necesario autorizar la desobediencia al Gobierno constituído y a las Leyes, como sucedió en las Lagunas de Varona, y como sucede con lo que usted me participa. Así, lejos de haber unión para combatir al enemigo común, resulta que los hombres amantes del orden y obedientes al Gobierno legítimo y a las Leyes, se indignan contra usted y sus adeptos."

La respuesta se encrespa a ratos. Vibra el General Maceo de indignación patriótica. Ataca de frente. Oigamos:

"...Es de suponer que a usted no le guíe otro móvil que la ambición personal, puesto que detuvo la marcha del contingente con destino a Las Villas, dando lugar con ello a que aquel cuerpo de ejército y su jefe no llevaran la revolución a Occidente. No me preocupa la idea de que se tratara de separar personalidades como la mía."

La justificación que García ofrece de sus actos no le parece válida. Si García consideraba fatal para el país al Presidente que legalmente encabezaba el Gobierno de la República en Armas, el camino para lograr su sustitución no podía ser el de Lagunas de Varona o el de Santa Rita. El camino era otro muy distinto. Maceo lo esboza con claridad en su histórica misiva:

"Debió usted, permítame se lo diga, formular una acusación contra el Presidente de la República, y en caso de no ser oído por quien correspondía, hacerla contra la representación nacional ante el pueblo; pero siempre en obediencia a las Leyes y al Gobierno hasta que aquel respondiera por efecto de las injusticias que se le pusieran de manifiesto.

"Al mismo tiempo que indignación, desprecio me produce su invitación al desorden y desobediencia de mis superiores, rogándole se abstenga en lo sucesivo de proponerme asuntos tan degradantes, que sólo son propios de hombres que no conocen los intereses patrios y personales."

El mensaje, saturado de tuétano histórico, atraviesa las circunstancias y penetra en el futuro. Tiene hoy, indudablemente, plena vigencia.

Otro gran momento civilista del guerrero insigne es el que tiene lugar en Baraguá.

La Protesta es obra de Maceo. Resulta reflejo fiel de su independentismo insobornable, de su abolicionismo radical, de su inteligente previsión política, de su sentido propagandístico, de su inagotable optimismo revolucionario. Los que con él denuncian el Pacto del Zanjón se inspiran en su ejemplo, transitan el sendero que él ha abierto con su liderazgo. El ha nacido para dirigir. No necesita imponerse para ser obedecido. Una simple mirada suya es capaz de lanzar a un combatiente a lo más recio de la pelea, al reto de la muerte. ¿Quién sino Antonio Maceo podía reclamar el primer puesto en el nuevo Gobierno? Sin embargo, el General Maceo, el militar Maceo, no quiso ocupar cargo alguno en el aparato político creado bajo los Mangos famosos. Quedó como jefe de una parte de Oriente. Y, por razones de conveniencia política, reconoció a Vicente García González como General en Jefe y a Titá Calvar como Presidente de la República.

Así era el General Antonio. Acierta por eso plenamente Leonardo Griñán Peralta cuando apunta: "Quiso el mando y la autoridad sólo en cuanto pudieran uno y otra dar mayor extensión y eficiencia a sus servicios. Lo que nunca quiso él fue mandar por mandar: el mando "en sí", que a tantos hombres lleva al ridículo o al delirio, cuando no les hace víctimas del odio y del temor que fomentan en los corazones de los que tienen que soportar sus arbitrariedades."

También en Baraguá, pues, en el instante de la rebeldía insoslayable contra un Poder que abandonaba el campo negándose a sí mismo, Maceo quiso dejar establecido su respeto profundo por el ordenamiento civil, su acatamiento a los principios fundamentales de la República democrática.

En los 17 años de la Gran Tregua Armada que corren de 1878 a 1895, las nuevas circunstancias obligan al General Maceo a evidenciar dotes hasta entonces inéditas de político. Persevera, desde luego, en el empeño liberador. La fortuna no lo acompaña. En el 78 no encuentra ni en Jamaica ni en Nueva York los elementos para sostener y salvar el gran gesto de Baraguá. En el 80, en Turk Islands, se le disuelve en triste fracaso todo el trabajo de largos meses de peregrinación militante y no puede acompañar a Calixto García y a Guillermón Moncada en el pechazo de la Guerra Chiquita. Paso a paso va aprendiendo la dura lección del destierro. Comprende que la primera virtud de su nuevo oficio consiste en saber esperar, o mejor, en saber preparar. Y se dedica no sólo a revivir a los desalentados y a impulsar a los perseverantes, sino también a frenar a los desesperados, que integran un peligroso sector discrepante en los tiempos de borrasca. Todo su potente autocontrol es puesto al servicio de tan espinosa misión. Su sostenida paciencia de diplomático tiene mil ocasiones de rendirle a la Patria el servicio de contener desbordamientos inútiles de la noble -aunque a veces, desgraciadamente, ciega- pasión revolucionaria. Entre otras muchas, citemos la muestra elocuentísima de lo que podemos llamar el caso Ramón Leocadio Bonachea.

En 1883 este joven mambí, el último en rendir las armas en Cuba tras el fracaso de Baraguá, se dirige al General Maceo comunicándole sus planes. Piensa venir a Cuba en una expedición, alzar el país, reiniciar la guerra santa por la independencia. Quiere conocer la opinión de su compañero de armas sobre su proyecto. Quiere contar con él.

Maceo responde con una carta muy pensada, muy política. El, verdadero estratega, mira siempre los problemas de acción práctica desde el ángulo de la logística. Hay algo que nunca escapa de sus planes: el factor humano, el movimiento de masas sociales, sin las cuales todo cálculo político deviene mera abstracción o peligrosa aventura.

En su carta, escrita en Puerto Cortés, en octubre de 1883, el General Antonio le dice a Bonachea: "Usted busca la cooperación de nosotros en la empresa que ha intentado aisladamente, tan a destiempo que es imposible le ayudemos en la forma que Ud. indica; mas no siendo de nuestro carácter coartar la libertad ajena, esperamos ver con sentimiento las desgracias que ocasionará Ud. al pueblo cubano, y los inconvenientes a la política que debiéramos servir unánimemente... Usted, como hombre de aspiraciones y que desea, como joven, hacerse de buen nombre, no dudo tratará de modificar sus planes, pues no concibo que, a sabiendas, se contribuya al retroceso de una causa tan preciosa e interesante como la nuestra, haciendo sufrir por más tiempo a aquel desgraciado pueblo... Yo me explico cuánto puede el deseo y cuánto sufre el que quiere y no puede; pero conozco su único remedio y lo aplico pronto antes que dar lugar a mayores males y a que se retarde la causa de la libertad."

Termina afirmando no temer que por pedir prudencia y combatir la aventura se le califique de cobarde: "Me tiene sin cuidado -escribe textualmente- y no me esforzaré en probar lo contrario." Poco después, en otra carta a Fernando Figueredo, repite los conceptos fundamentales de la anterior: "La revolución de hoy debe obedecr -dice- a un plan uniforme de acción, compacto en la forma y en los hechos, de realización simultánea y con los preparativos que requiere un movimiento que comprende la cooperación de todos... Los pronunciamientos parciales traen por consecuencia la pérdida de los mejores jefes y oficiales. Al gobierno le basta saber que un cubano tiene dignidad para condenarlo al ostracismo y hacer que muera en prisiones inmundas. Cada uno de esos pronunciamientos causa atrasos, ¿por qué llamar la atención del enemigo que debe ser sorprendido por un movimiento formidable?"

Maceo comprende -y así lo expresa en la carta- que "el deseo de ser libres enloquece" a veces. Pero el camino de la locura no es el de la libertad. El recomienda -son sus palabras- "la cordura y la prudencia". Se traza una norma: "mediremos nuestros pasos -dice- para asegurar el triunfo de la independencia". Frenar es, a veces, el único modo de vencer. En definitiva, él lo confía todo al único remedio verdadero: a la acción unida y poderosa de todo el pueblo cubano, de los patriotas de toda procedencia, de toda ubicación clasista, de todo matiz racial: ricos y pobres, blancos y negros, identificados en un solo empeño de libertad. Por eso refiriéndose al mismo problema, le escribe a Cirilo Pouble: "Que diferamos en la forma no quiere decir que dejemos de trabajar en favor de la causa; por el contrario, *debemos hacerlo buscando la unión*, pues de las ideas compartidas en armonía resulta su mejoramiento, contribuyendo a engrandecer la obra común."

Ramón Leocadio Bonachea, como es bien sabido, no quiso aprovechar los avisos de la experiencia. Se lanzó solo a la aventura. La ballenera "Roncador" lo trajo a la costa sur de Manzanillo. Fue apresado por las autoridades españolas y fusilado en esta misma ciudad de Santiago de Cuba el 6 de marzo de 1885. Murió como había vivido: en plena tensión heroica. Hoy Cuba lo llora y reverencia como mártir, pero no puede recordarlo como guiador genial, porque el primer deber de todo dirigente revolucionario consiste en evitar que la pasión se le desborde; en impedir que le conduzca a la locura el apetito de libertad.

En 1884 Maceo se une al esfuerzo de Máximo Gómez para llevar la guerra a Cuba. Tiene discrepancias con José Martí sobre el modo mejor de articular los elementos militares y los civiles en el movimiento conspirativo y en la conducción de la guerra. El Plan Gómez-Maceo fracasa en 1886. Pero dos años después, el General Antonio -que ha recorrido media América buscando recursos para encender de nuevo la llama revolucionaria en Cuba, sin haberlo logrado- recibe un mensaje firmado por Martí. Un grupo de cubanos exiliados en Nueva York está dispuesto a reiniciar la lucha. ¿Cuál es la posición de Maceo al respecto? Maceo responde con dos cartas magistrales. Yo las llamaría su testamento político. Por su enorme importancia, permítanme, amigos míos, citarlas **in extenso**. Dicen:

"Hoy como ayer y siempre, Sr. Martí, y así puede Ud. comunicarlo a los señores que con Ud. firman esa carta que tanto me honra y que ha venido a endulzar un tanto la amargura de mi obligado ostracismo, hoy como ayer pienso que debemos los cubanos todos, sin distinciones sociales de ningún género, deponer ante el altar de la patria esclava y cada día más infortunada, nuestras disensiones todas y cuántos gérmenes de discordia hayan podido malévolamente sembrar en nuestros corazones los enemigos de nuestra noble causa...

"Si en el pasado fue siempre mi política sujetarme a los mandatos de la Ley, de los Poderes legalmente constituídos, estimando que, bueno o malos, es deber ciudadano darles respetuoso acatamiento, a reserva de procurar por las vías legales su mejoramiento o enmienda si resultaren nocivos a los intereses generales de la Patria; hoy y mañana, si la fortuna me dispensa el favor de contribuir en algo a la formación de nuestra nacionalidad, sigo y seguiré siendo fiel a ella; creyendo, como creo, que bajo ningún concepto, ni bajo ningún motivo, se debe nunca apartar al pueblo de la obediencia a las leyes y lanzarlo por los escabrosos caminos de la anarquía.

"Protestaré asimismo, y me opondré hasta donde sea posible, a toda usurpación de los derechos de una raza sobre otra; viniendo a ser, como ésta mi resuelta y firme actitud, una garantía para todos.

"Trazadas a breves rasgos las ideas transcritas, creo asimismo que ninguna forma de gobierno es más adecuada, ni más conforme con el espíritu de la época, que la forma republicana y democrática.

"Una República organizada bajo sólidas bases de moralidad y justicia, es el único gobierno que, garantizando todos los derechos del ciudadano, es a la vez su mejor salvaguardia con relación a sus justas y legítimas aspiraciones; porque el espíritu que lo alimenta y amamanta es todo de libertad, igualdad y fraternidad, esa sublime aspiración del mártir del Gólgota, que acaso utópica aun, a pesar de 18 siglos de expresada, llegará a ser mañana, a no dudarlo, una hermosa realidad.

"Inquebrantable respeto a la Ley, pues, y decidida preferencia por la forma republicana, he ahí concretado mi pensamiento político; esos son, han sido y serán siempre los ideales por los que ayer luché y que mañana me verán cobijarme a su sombra, si la Providencia y la Patria me llaman nuevamente al cumplimiento de mi deber."

Expresado en términos del vocabulario político actual, el objetivo fundamental de la ideología maceísta, tal como se desprende de estos párrafos, pudiera resumirse así: Maceo trabaja por un revolución democrática de liberación nacional que independice a Cuba del yugo extranjero y que realice sobre nuestro suelo los clásicos ideales de la Revolución Francesa. Todo el movimiento demoliberal de los siglos XVIII y XIX se refleja en ese ideario sintético, todo tuétano y sustancia, como de hombre en quien el Verbo se fundió con la Acción. Examinándolo atentamente notaremos claras huellas de las improntas -más o menos reflejas- de Rousseau y Montesquieu, de Locke y de Paine, de Jefferson y Lincoln y Bolívar, de la Declaración de Independencia de 1776, de los Estados Generales de 1789, de los movimientos americanos de 1810, del Acta inglesa de Reforma de 1832, de las barricadas parisinas de 1848. También, desde luego, se evidenciarán las marcas de la propia tradición cubana, desde Guamá hasta Céspedes, pasando por la reacción criolla contra el mercantilismo hispano a comienzos del siglo XVII, por la abierta rebelión de los vegueros en el XVIII, por los nutridos alzamientos de los esclavos, las prédicas precursoras de Varela y las acti vidades conspirativas que van desde Román de la Luz al campanazo de La Demajagua.

Detallado en sus ingredientes básicos, este ideario de Maceo se desdobla en los siguientes rasgos: independentismo, republicanismo, democratismo, abolicionismo, antimperialismo, igualdad racial, unidad popular revolucionaria.

El apetito de independencia es, desde luego, el motor esencial. Una Cuba libre de la opresión española: he ahí la cifra máxima en la ecuación maceísta. El General Antonio comprendió, primero por instintiva orientación de hombre de pueblo, más tarde por meditado análisis político, que el problema de Cuba no podía resolverse por vía de conciliaciones. Por eso reservó siempre su frase más dura para los autonomistas, campeones de la transacción, so pretexto de evolucionismo. Cuando habla de la Patria encadenada, la palabra le brota ungida de llameante pasión nacional:

"A esta situación de Cuba esclava -le dice desde Costa Rica a su amigo Enrique Trujillo-, pisoteados todos sus derechos por gente extraña y rapaz, vilipendiada en medio de tantos latrocinios, explotada por esbirros inmundos y politicastros serviles, son preferibles el infierno de las hogueras, los suplicios eternos, las cadenas y tormentos contínuos, los cadalsos y las prisiones insanas, los calabozos y las violencias infames de los españoles a nuestras mujeres; todo es preferible a llevar consigo el pesado, el vergonzoso baldón de no haber luchado sin tregua ni descanso por nuestras libertades. ¿Para qué queremos la vida sin el honor de saber morir por la Patria?"

El independentismo de Maceo es radical. Cuba debe ser libre de todo poder colonizante. Al corresponsal español que le preguntó si los mambises pretendían anexionar Cuba a los Estados Unidos, dióle esta sorprendente respuesta: "Es

191

una calumnia. Para depender Cuba de alguna potencia preferimos sea de España, a la que queremos como la quieren las Repúblicas independientes que a ella pertenecieron. Antes que norteamericanos, queremos ser españoles."

Otro gran impulso en la red de impulsos que mueven esta conciencia y este brazo insignes es el abolicionismo. Motivo de particular fuerza propulsora para un cubano que, como Maceo, era pobre y, además, mulato. En Baraguá, cuando el mariscal español propone "olvido de lo pasado y fe en el porvenir", los protestantes se pronuncian contra el Zanjón enarbolando la bandera de la independencia y de la inmediata abolición de la esclavitud.

En Maceo, independentismo y antiesclavismo absolutos son dos caras de una medalla, dos manifestaciones de idéntica realidad. Lo político y lo social se abrazan en un solo esfuerzo de libertad.

Corolario de estos postulados es la perpetua batalla del General Antonio por la igualdad de derechos y oportunidades para todos los cubanos. "La Revolución -dijo él- no tiene color." La República no debe tenerlo tampoco. La bandera patria cubre a todos por igual.

Y para la realización de este programa salvador Maceo propone como instrumento indispensable la unidad nacional. "La unión cordial, franca y sincera de todos los hijos de Cuba -escribe- fue en los campos de Cuba, tanto en los días prósperos como en los nefastos de nuestra guerra, el ideal de mi espíritu y el objetivo de mis esfuerzos... La unión, amigos, se impone por fuerza a nuestro patriotismo; pues sin ella serán estériles todos nuestros sacrificios, se ahogarán en sangre nuestras más arriesgadas empresas."

¡Cuántas veces, a lo largo de su prolongada carrera, nos encontramos con Maceo, el gran rebelde, en funciones de unificador! Cuando, por ejemplo, le condena a Vicente García su indisciplina culpable, no deja de abrir una puerta para la rectificación: "Aun no es tarde para que hombres como usted se salven del fracaso", le dice. Cuando Enrique Trujillo le traslada quejas contra la militancia apasionada de José Martí, Maceo le responde con ruda franqueza que su carta peca de "poco política y antipatriótica". Y acaba por solicitar de él que vuelva a ocupar su puesto "lejos de rencillas personales, que pueden llevarlo al abismo". ¡Siempre, antes que nada, la unión para combatir al enemigo común! El bien sabe que sin unidad no hay Patria libre. Y sin Patria libre no hay posibilidad de justicia ni perspectiva de progreso.

Ahí tenemos, señoras y señores, en apretado resumen, algunas muestras de la alta talla de estadista del General Antonio Maceo. Nosotros lo hemos llamado *héroe civil*. Porque ya queda en claro que su grandeza dimana tanto de los combates que ganó con el machete como de los que decidió con la pluma, que manejaba sin pretensiones pero con elocuencia y dignidad ejemplares. Y tal vez si los primeros sólo valen en función de los segundos. En fin de cuentas, únicamente el Verbo puede justificar a la Acción.

Esta doble grandeza del varón ilustre se ha incorporado ya definitivamente a la sustancia patria. Una nación es, sin duda, mucho más que la simple "posesión en común de un rico legado de memorias" de que hablara Renán. Pero cierto es también que ninguna nación puede vivir sin sustento de tradiciones. La memoria social, instrumento de las varias solidaridades que hacen posible el fenómeno nacional, tiene que nutrirse de zumos de heroísmos individuales y colectivos si quiere rendir función creadora.

193

Cuba salió muy lentamente del letargo factorial de sus dos primeros siglos de existencia hasta devenir Colonia. A través de muy variadas peripecias de orden económico, lingüístico, psicológico y social, esa Colonia se transformó en semilla de Nación. Pero sólo cuando en la Guerra del 68 el cubano se hizo de una tradición de grandeza humana, pudo cuajar en unidad de cultura y adquirir sello de estilo propio nuestra entidad nacional.

En ese fondo común de altos valores patrios -repetimos- la eminencia de Antonio Maceo se destaca en primerísimo rango. Maceo, el de la reincorporación milagrosa tras la caída de los mangos de Mejías. Maceo, el de la Invasión. Maceo, el de la campaña de Pinar del Río. Maceo, el de ese otro heroísmo menos espectacular, pero no menos valioso, que se nutrió de perseverancia sostenida, de optimismo indeclinable, de fe sin desalientos, de paciencia estoica, de saber obligar y saber contener, de saber exigir y saber entregar y, sobre todo, de saber mantener enhiesto en la tormenta el estandarte de la integridad moral.

Hoy, que esa gran tradición se ve negada y escarnecida, aferrarnos a ella constituye deber indeclinable. Porque ese pasado ejemplar no lo es enteramente en realidad. Todavía vive. Todavía alienta. Todavía la República no ha logrado despojarse de las recidivas coloniales. Muchos de los problemas básicos que el esfuerzo mambí quiso resolver quedan aun planteados. En lo íntimo de su sustancia independentista y democrática, el programa de la revolución libertadora sigue vigente.

Por eso, porque vive, es la nuestra una tradición activa, peleadora. Y por eso, y porque aquí no venimos a rendir un homenaje perfunctorio sino a realizar tarea de servicio patrio, hemos preferido guardar los clarines gloriosos para evocar serenamente, sin alardes, esa riquísima tradición cubana por uno de sus costados mayores. Su simple presencia -lo sabemos- ilumina, alienta y dicta. Sobre ella, ancha raíz materna, protegiéndola, engrandeciéndola y superándola, queremos los de la nueva generación afirmar nuestra voluntad de patria libre, democrática y progresista.

JUAN GUALBERTO GOMEZ (1854-1954)[1]

Ninguna de nuestras grandes figuras históricas ha sido tan incomprendida y tan injustamente desvalorizada y postergada como la de Juan Gualberto Gómez. Su intensa participación de más de treinta años en la cominera política republicana le convirtió en blanco perpetuo de los ataques -siempre virulentos y ponzoñosos- de la pasión partidista. Contra él se emplearon todas las armas: el insulto, la difamación, el ridículo. El general Leonardo Wood fue de los primeros en calumniarlo, llamándolo despectivamente: "negrito de la más hedionda reputación moral". Los racistas blancos quisieron hacerlo aparecer como máximo representante del ra-

---

[1] Conferencia dictada en el Club Moncada de Santiago de Cuba, en marzo de 1954, para celebrar el primer centenario del nacimiento de Juan Gualberto Gómez.

cismo negro. Los caricaturistas se ensañaron con él, haciendo de su famoso "paraguas trabado" un símbolo del fracaso y la incompetencia. Las clases dominantes de la "nueva Cuba", cómodamente instaladas bajo el ala del águila del Norte, nunca le perdonaron su firme y sostenida actitud anti-ingerencista: índice acusatorio siempre en alto contra los que habían traicionado el evangelio de independentismo radical y absoluto del 24 de febrero de 1895. La aristocracia burocrática y financiera de la República que él ayudara a crear tampoco le perdonó nunca el ser negro y defender con hombría y con civismo los derechos de sus hermanos de raza. En consecuencia, a la hora de escribir la Historia lo relegaron a un puesto de segunda fila: hasta hoy mismo, para muchos, Juan Gualberto apenas desborda el honroso pero secundario papel de "hombre de confianza de José Martí." Las generaciones actuales han recibido del ilustre patriota una imagen radicalmente deformada, que en modo alguno corresponde a las dimensiones del original.

Urge, por respeto a la Historia verdadera, aprovechar este año centenario de su nacimiento, para mostrarlo como lo que fue: altísimo y claro ideólogo, junto con José Martí, del movimiento independentista; primer ideólogo y dirigente máximo del movimiento negro organizado tanto en los últimos años de la Colonia como en los primeros de la República; figura cimera, junto con Martí, de nuestro periodismo político.

Honrémosnos, pues, honrándolo. Procuremos extraerle a esa "vida sin sombra" -como la llama Octavio R. Costa, su mejor biógrafo- toda su sustancia ejemplarizante. Hoy, que tan necesitados estamos de tales asistencias, asomémonos a esta existencia ilustre y aprendamos en ella las lecciones que nos ofrece: de independentismo sin quiebras, democratismo integral, igualitarismo y civilismo. Y también de espíritu de sacrificio, perseverancia, prudencia, combatividad, serenidad y fe indeclinable en los altos destinos de su patria.

El separatista

Nació el 12 de julio de 1854 en el batey del ingenio "Vellocino" (Sabanilla del Encomendador, Matanzas). Aunque hijo de esclavos, vino libre al mundo. Sus padres, Fermín y Serafina, compraron por veinticinco pesos su libertad cuando aun se encontraba en el claustro materno. Poco después adquirieron la suya.

Fue Juan Gualberto niño precoz. Prendados de sus dotes excepcionales, Fermín y Serafina lo enviaron a La Habana a estudiar en el colegio "Nuestra Señora de los Desamparados" de Antonio Medina y Céspedes, "el don Pepe de la Luz de color". Luego, con gran sacrificio, le pagan el viaje a París (1869). Quieren hacerlo carruajero. Pero el maestro francés del alertado cubanito, descubriéndose ante su talento, recomienda se le prepare para estudios superiores. Durante cuatro años el joven criollo brilla ocupando los primeros lugares en sus cursos de la Escuela Preparatoria de Ingeniería de Mungo.

Todavía en la Escuela, hace el descubrimiento de la pasión patriótica. En 1872 el Vice-Presidente de la República de Cuba en Armas, Francisco Vicente Aguilera, visita París en misión revolucionaria. Necesita quien le traduzca al francés los artículos que redacta en defensa de la causa cubana. Juan Gualberto se le ofrece, es aceptado y desde entonces actúa prácticamente como secretario del mambí ilustre. Con orgullo podrá decir: "Mi maestro en el amor a la independencia es

Francisco Vicente Aguilera." Como buen romántico, a la patria comienza a sentirse ligado por un sentimiento nuevo, por una suerte de mística comunicación, que se le acentúa con la nostalgia de la lejanía. Por entonces escribe a un amigo: "El amor que sentimos en la vida privada por nuestra madre, ese amor espontáneo estamos llamados a sentirlo por nuestra patria. El amor a la patria es más que una virtud, es un deber, es más dulce que un deber, es un gozo que el cielo nos ha prodigado a todos los seres de la creación."

Sus actividades revolucionarias no le impiden, empero, cumplir a cabalidad con sus deberes escolares. En 1874 termina su pupilaje en Mungo. Ingresa en la Escuela Central de Artes y Manufacturas, cuna de tantos ingenieros ilustres. Por desgracia, cuando hace el primer año, sus padres han llegado al límite de sus fuerzas. No pueden seguir enviando la mesada. Le remiten el pasaje de regreso.

Juan Gualberto no se decide a volver a su tierra esclava. Sigue con apasionada atención los acontecimientos de Cuba. En París ha sido conspirador. Ha hecho labor separatista. Vacila. ¿Qué destino le aguarda a él, independentista, mulato y pobre en una Habana prisionera de la insolencia de los voluntarios? Se queda. Pasa meses de angustiosa estrechez económica. Por fin se orienta hacia el periodismo. Obtiene rápidos éxitos. Se ha encontrado así en París con sus dos grandes vocaciones, tan inter-relacionadas: la prensa, la política.

Francia graba en él huella indeleble. Allí se forma su ideología. Allí cuaja su estilo vital: pensamiento sin brumas, prosa de claridad cristalina, pasión viva pero sabiamente contenida, voluntad acerada, pulcritud y elegancia de cuerpo y espíritu. Francia lo subyuga. Pero la patria, lejana y trágica, lo llama. Venciendo sus vacilaciones, por fin, en 1877, da el salto. Goza abrazando a sus padres. Sufre con los dolores de su tierra martirizada. Después de respirar aires libres durante ocho años, lo sofoca la doble esclavitud política y social que enrarece la atmósfera del país. Y lo peor es que las esperanzas de cambio son escasas y débiles. La guerra libertadora languidece a ojos vistas. Juan Gualberto decide trasladarse a México. Va como empresario del ilustre violinista criollo Claudio Brindis de Salas.

En México lo sorprende lo del Zanjón. Con el corazón acongojado regresa a La Habana. Al amparo de las relativas libertades que el Pacto concede, hace periodismo. Defiende dos causas: la de su patria y la de su raza. Cuando se convence de que las promesas de Martínez Campos se han convertido en papel mojado, conspira junto a su nuevo amigo, el brillante orador y poeta José Martí. Pronto es éste detenido. Luego lo fue Juan Gualberto. Fue enviado a Ceuta (1880).

No es sino dos años más tarde cuando puede salir de la prisión inmunda y se traslada a Madrid, como desterrado. Rafael María de Labra lo protege. Le da trabajo en "El Abolicionista" y en "La Tribuna". Lo estimula a seguir estudiando. Juan Gualberto frecuenta la Institución Libre de Enseñanza. Lee. Trabaja. Escribe informaciones parlamentarias, crónicas, artículos de crítica literaria. Madura.

Su proyección política en esta hora de crisis cubana pone en evidencia la ductilidad dialéctica de su talento. El, desde luego, sigue siendo independentista irreductible. Pero tiene plena conciencia de dos hechos: primero, que resulta imposible, dadas las circunstancias, hacer propaganda separatista abierta en España; segundo, que aunque la independencia es el ideal de las grandes masas cubanas, éstas se encuentran cansadas tras los esfuerzos titánicos de dos guerras: la Grande y la Chiquita. ¿Qué hacer? ¿Callar? ¿Esperar con los brazos cruzados? ¡No! Por lo pronto hay que rechazar las soluciones espurias, el anexionismo, sobre todo. Luego, ante las tendencias evolucionistas y reformistas, hay que usar una táctica flexible. Hay que utilizarlas como vehículo de propaganda y acción para alcanzar transacciones que preparen el camino del futuro. No se cansará de aclararlo: dista mucho de ser autonomista; pero desde 1881 es un aliado del autonomismo contra los conservadores. La autonomía no es el ideal que sueña para su país. Pero si se establece en Cuba, él aplaudirá ese paso de avance y luchará por hacerlo llegar hasta el objetivo final: la independencia.

En su formidable alegato *La cuestión de Cuba en 1884* propone algunas de esas indispensables transacciones transicionales: disminucion de las cargas fiscales, moralización de la administración pública, liquidación del régimen militar y del estado de sitio, creación de una corporación insular de libre elección con facultades para votar presupuestos; libertad de comercio y modificación arancelaria; abolición del patronato, poniéndole definitivamente fin a la esclavitud; etc. Son, como se ve, proposiciones evolucionistas. Pero al terminar su trabajo, Juan Gualberto aclara: "Por lo demás, no se crea que en manera alguna estamos encariñados con las soluciones que más recomendamos. No son las que nuestras convicciones políticas, los impulsos de nuestro corazón, nuestros antecedentes, nuestra modesta historia, ni nuestros sentimientos cubanos nos llevarían a profesar con más calor... Puesto que todo lo ocurrido en estos últimos años ha venido a demostrar que no era posible agrupar a la mayoría de los amigos de las libertades cubanas -en este momento histórico, por lo menos- a la sombra del pendón que cobija nuestras más íntimas convicciones, hemos deducido que lo patriótico era dejar a un lado las intransigencias de escuela para recabar de la Metrópoli, con la mayor unanimidad posible, cuantas mejoras puedan hacer tolerable la existencia en Cuba a los hijos de aquella desdichada tierra."

Desde luego, a medida que los acontecimientos avanzan y la posición de las masas cubanas comienza a cambiar, la actitud de Juan Gualberto respecto a los autonomistas va haciéndose cada vez más crítica. En 1887 califica su programa de "reducido y raquítico". Y se gana un ataque desaforado e injusto de "El País", promoviéndose una polémica que pone en evidencia la distancia cada vez mayor entre los dos partidos cubanos.

Juan Gualberto se afianza más y más en su viejo credo: la independencia absoluta es la única medida salvadora para Cuba. Por eso, cuando en 1890 el Tribunal Supremo de Justicia de España dicta una sensacional sentencia declarando legal la defensa pacífica del carlismo y el republicanismo, Juan Gualberto, estimando que este pronunciamiento comprende, por analogía, la defensa del ideal separatista en nuestra Isla, decide regresar a La Habana, a defender su gran causa en las barbas mismas del Capitán General. No le importan los riesgos que corre. Ya lo ha dicho en otra ocasión: "Soy sobre todo... un cubano que nunca ha dejado de serlo, y que no ha soñado con ser otra cosa, y que se cree por todo esto con el perfecto derecho de emitir sus opiniones sobre las cosas y los hombres que quieren influir en el destino de su patria."

Su arma es, como siempre, la prensa. Publica "La Fraternidad", órgano de su doble causa: patria y raza, separatismo e igualdad. Se convierte en el primer cubano que realiza dentro de la Isla una campaña periídistica en defensa del ideal independentista. Su fervor patriótico lo conduce a la cárcel. Las autoridades secuestran el número de "La Fraternidad" en que aparece su artículo *Por qué somos separatistas*. Desde la cárcel Juan Gualberto lucha desesperadamente por mantener encendida la antorcha de su periódico, en el que sigue sosteniendo la sutílisima doctrina de "independencia sin rebelión". Pese a la brillante defensa de su joven abogado, José Antonio González Lanuza, la Audiencia de La Habana lo condena, en marzo de 1891. Pero en noviembre del mismo año Rafael María de Labra logra la casación de la sentencia. El Tribunal Supremo de Justicia de España reconoce el derecho a propugnar la independencia de Cuba desde la prensa con las únicas armas de las ideas.

Juan Gualberto sigue batallando, ahora desde las páginas de su nueva publicación "La Igualdad". Y desde las filas del Directorio Central de las Sociedades de la Raza de Color, que organiza y preside. Predica para los suyos: "Instruirse. Instruirse. Instruirse." Pero va más allá. Los insta a usar métodos prácticos -dentro de los marcos legales- para defender las leyes igualadoras que España se ha visto obligada a conceder. Anima a los negros y mulatos a concurrir a los establecimientos públicos y en ellos solicitar servicios, querellándose contra los propietarios si éstos se los negaban.

Por esa época, logra la integración de los teatros de la capital. En el *Payret* las personas "de color" no podían entrar a la tertulia sino a la "cazuela". Juan Gualberto prepara un grupo de hombres negros, los alecciona para que con prudencia, pero con energía, con atuendo adecuado al espectáculo, fueran a comprar palcos, lunetas y butacas, y acompañados de sus señoras asistieran a la función. El primer día terminaron en la Comisaría de la policía. Se hizo la denuncia pertinente. Y las autoridades judiciales se vieron obligadas a dar un fallo favorable. Muchas décadas antes de Mahatma

Gandhi, Juan Gualberto había inventado en La Habana una especie de *satyagraja* criolla: su propia versión de la táctica de "resistencia pacífica" en la batalla por la igualdad racial. En este caso, una curiosa *satyagraja* de chaqué y de bombín.

Pronto a estas labores públicas ha de unir las secretas de un enérgico trabajo conspirativo. En agosto de 1892, a nombre de José Martí, lo visita Gerardo Castellanos y Lleonart. Por él se entera Gómez de lo adelantadas que andaban las labores organizativas de la emigración separatista en los Estados Unidos. De sus manos recibe la carta de Martí en que su viejo amigo y compañero lo invita a incorporarse al movimiento. Juan Gualberto acepta. Desde entonces queda convertido en la cabeza dirigente del Partido Revolucionario Cubano en la Isla: en el organizador central de la guerra futura en el país. Tiene que hacer derroches de serenidad, de prudencia, de dinamismo, de agilidad y de tacto para combinar su trabajo legal de periodista con el ilegal de conspirador. Tiene que sortear momentos dificilísimos. Sobre todo cuando las impaciencias de algunos revolucionarios, con sus imprudentes y extemporáneos alzamientos, ponen en peligro toda la labor realizada. Pero su genio de organizador político logra sacarlo triunfante de todas las pruebas.

En 1895 la fruta está madura. La hora se acerca. Todo parece dispuesto cuando sobreviene el desastre de Fernandina. Los Estados Unidos se incautan de tres barcos cargados de armamentos destinados a prender en Cuba la guerra libertadora. Es un momento crítico. Poco después Juan Gualberto recibe consulta de Martí: ¿conviene lanzarse en seguida, pese a todos los obstáculos, o será mejor esperar? Gómez, que conoce al dedillo la situación interna del país, responde con urgencia: no es posible aguardar más. Inmediatamente llega la orden de alzamiento. Deberá producirse -manda Martí- en la segunda quincena de febrero simultáneamente en toda la Isla. Es Juan Gualberto quien sugiere en La Habana la fecha exacta: 24 de febrero, domingo de carnaval.

Cumpliendo con su deber, el 24 de febrero de 1895, Gómez se lanza al campo, cerca del paradero de Ibarra, en la provincia de Matanzas, mientras de Oriente a Occidente el país entero se pone en pie contra la metrópoli. Pero a Juan Gualberto no lo acompaña la fortuna. Acosado por las tropas enemigas se ve obligado a acogerse a los beneficios del bando que el Capitán General Callejas ha dictado en favor de los que depongan las armas. Burlándose una vez más de sus promesas, las autoridades españolas, lejos de ponerlo en libertad, lo mantienen preso en el Castillo del Morro. En agosto un tribunal lo condena a veinte años de presidio.

La cárcel otra vez. Primero Madrid. Luego Ceuta, donde rapado y con cadenas remachadas a las piernas, se le mantiene incomunicado. La intervención de su viejo amigo y maestro Rafael María de Labra logra suavizar al cabo la situación. Le quitan la cadena. Lo sacan del calabozo. De Ceuta lo llevan al presidio de Cartagena. Y de allí, a fines de 1897, lo trasladan a la cárcel de Valencia, donde permanece hasta marzo de 1898 en que le alcanza la amnistía y es puesto en libertad. Juan Gualberto se encamina a Barcelona. Y de allí pasa a París, su viejo y amado París.

En seguida, desde luego, a trabajar por Cuba, junto a Betances. Y, muy pronto, la ruta de Nueva York. Cuando llega, ya España y Estados Unidos se encuentran en guerra. El Delegado Estrada Palma le confía una misión al Sur yanqui: Jacksonville, Tampa, Ibor City, Cayo Hueso. La guerra termina. Y Juan Gualberto se traslada a Cuba. Viene a tomar posesión del cargo de Representante a la Asamblea de Santa

Cruz, para el que fue electo por partida doble: por el sexto cuerpo, de Pinar del Río, y el cuarto, de Las Villas.

En otras circunstancias, la hora hubiera sido de gozo pleno. Estaba, sin embargo, cuajada de preocupaciones. España había sido derrotada. Pero ¿dónde estaba la independencia? La intervención de los Estados Unidos en el conflicto había planteado nuevas e inquietantes interrogaciones.

Por lo pronto, la presencia de ese factor extraño perturbó el libre desarrollo de la Asamblea de Santa Cruz. Maniobrando con habilidad, el gobierno norteño logra dividir a los cubanos. Provoca infecunda controversia entre el Poder Civil, representado por la Asamblea, y el Poder Militar, representado por el General Máximo Gómez. La conclusión del duelo es fatal para Cuba: el General es destituído, la Asamblea disuelta. La Revolución queda, tal como lo planearon los norteamericanos, totalmente acéfala: sin Poder que la represente y defienda. Pronto el Ejército Libertador es licenciado. Otra potencia extranjera se ha apoderado del país.

Las maniobras del Gobierno Interventor, sobre todo en los tiempos del general Leonard Wood, permiten comprender rápidamente a Juan Gualberto que una nueva antinomia rige el destino cubano. El, como siempre, se define en seguida. Está al lado de la mejor causa de la Nación. Ni España ni Estados Unidos. Ni león ni águila rampante. Cuba debe vivir libre de toda ingerencia foránea. Hay que batir al anexionismo que renace. Hay que sacar al extranjero de casa.

El Antimperialista

Desde mucho antes había manifestado Juan Gualberto Gómez su aversión por las ideas anexionistas. En su ensayo ya citado *La Cuestión de Cuba en 1884*, al estudiar las distintas salidas que se proponían a la situación del país, se refiere a los partidarios de la anexión, señalando con claridad su ubicación clasista: "Los hombres ricos de Cuba, cubanos o peninsulares, que creen a España impotente para salvar sus intereses, ponen los ojos en los Estados Unidos. La independencia los asusta, y como no los lleva a la separación el deseo de realizar ningún ideal político, sino el de resguardar su fortuna material, llegan a considerar que esto se conseguiría fácilmente bajo el amparo y protección de la gran república." Calificando con certera elocuencia y ferviente patriotismo esa torcida posición antinacional, Juan Gualberto escribe más adelante: "El anexionismo... es la ruptura completa con lo tradicional. Es la negación del *cubanismo*... Es el sacrificio completo, en porvenir no lejano, de cuanto es característico a la sociedad cubana. Es la muerte del sentimiento patrio y la reducción a la impotencia de los naturales, ahogados bajo la masa de emigrantes irlandeses, alemanes y yanquis, que caerían como bandadas de langostas sobre la Isla. Es, en fin, la desaparición completa de la entidad moral de Cuba, tal como el más tibio de los cubanos la ama y considera."

En 1891 dedica un artículo de "La Fraternidad" -escrito desde la cárcel- a combatir el anexionismo, declarando que sus más íntimos sentimientos se sublevan ante la idea de que los cubanos consideren tan desconsoladora demostración de impotencia como un principio salvador. Y aniquila, uno a uno, con brillante despliegue dialéctico, los argumentos esgrimidos por los anexionistas.

Con tales antecedentes resulta fácil comprender la postura de Juan Gualberto frente a las maniobras del Gobierno Interventor, orientadas, primero, a quedarse con Cuba, y luego, ante la imposibilidad de realizar semejante desafuero, a otorgar a la Isla una semi-independencia: una semi-república encadenada por la Enmienda Platt.

Gómez se enfrenta a Wood. Y el criollo gana la primera batalla. Pese a la abierta oposición del Gobernador extranjero es elegido delegado a la Asamblea creada para dotar al país de una constitución. En esta convención su labor es extraordinaria. Es uno de sus miembros más activos y respetados. Se convierte muy pronto en el líder del movimiento antiplatista. Redacta una sustanciosa ponencia contra la Enmienda, documento trascendental, que todos los cubanos debieran saber de memoria. En él se analiza cláusula por cláusula el ignominioso apéndice, poniendo en evidencia que de entrar en vigor, la independencia del país se convertiría en una farsa y la Joint Resolution en hipócrita papel mojado. Estados Unidos devendría el poder legal superior de la Isla de Cuba. A Estados Unidos se trasladarían, en una palabra, los derechos soberanos "de la que sólo impropiamente podría llamarse República de Cuba". Con honda amargura proclama: "Hoy parece Cuba un país vencido, al que el vencedor, para evacuarlo, impone condiciones que tiene que cumplir precisamente, pues de lo contrario seguirá sometida a la ley del vencedor. Y esas condiciones, en el caso presente, son duras, onerosas, humillantes: limitación de la independencia y soberanía, poder de intervención y cesiones territoriales: de todo eso hay en el acuerdo del Congreso de los Estados Unidos que se nos comunica. Si en vez de hacer la guerra a España para asegurar la independencia de Cuba, los Estados Unidos se la hubiesen declarado a Cuba misma por cualquier motivo o cualquier propósito ¿qué otras condiciones, a no ser la franca incorporación, podrían imponer a los cubanos?"

Por fin, tras variadas peripecias que aquí no podemos ni resumir siquiera, la Enmienda Platt fue aprobada como apéndice a la Constitución cubana de 1901. La Asamblea (y Juan Gualberto con ella) prefieren una República mediatizada a la ocupación militar permanente del país por parte de los Estados Unidos. Había que sacar las tropas extranjeras de la Isla. Porque de todos era conocido el criterio que sobre Cuba y los cubanos privaba en los círculos dominantes de Norteamérica y claramente se reflejaba en el gobierno interventor encabezado por el general Wood. Era el expresado por el periódico "The Manufacturer" de Filadelfia en 1889 y severamente condenado por Martí en su trabajo *Vindicación de Cuba*. Según estos sectores racistas e imperialistas los cubanos no eran más "deseables" que los españoles: "A los defectos de la raza paterna unen el afeminamiento, y una aversión a todo esfuerzo que llega verdaderamente a enfermedad. No se saben valer, son perezosos, de moral deficiente, e incapaces por la naturaleza y la experiencia para cumplir con las obligaciones de la ciudadanía en una república grande y libre." Eso, los cubanos blancos. Los negros eran considerados aun peores: "En cuanto a los negros están claramente al nivel de la barbarie. El negro más degradado de Georgia está mejor preparado para la Presidencia que el negro común de Cuba para la ciudadanía americana."

Para Juan Gualberto todo era preferible a mantener como gobernantes de la Isla a gentes que pensaban de este modo. Era preferible una República imperfecta a una Intervención dominada por semejantes prejuicios anticubanos y antinegros. La República nacería disminuída y mediatizada. Pero al menos habría República. No todo estaba perdido. Gobernando se aprende a gobernar. No debía perderse la fe en el futuro.

Gómez sigue haciendo periodismo. Y actuando en la política. Es él viejo amigo de Tomás Estrada Palma. Pero

210

como el primer Presidente se pliega excesivamente ante el gobierno de Washington, Juan Gualberto no puede permanecer callado frente a esa política, que considera suicida. No pierde oportunidad para predicar desde las páginas de su nuevo periódico "La República Cubana" la necesidad de luchar por la derogación de la Enmienda. Cuando en 1903 queda creado, bajo la inspiración de Juan Gualberto, el Partido Liberal Nacional, su programa muestra en posición cimera la demanda de revisión del inaceptable Apéndice Constitucional.

Al acercarse el fin de su mandato, Estrada Palma decide tomar el mal camino de la reelección. Con sus amigos del Partido Liberal, Juan Gualberto se opone a ese intento con todas sus fuerzas. La discrepancia se torna en alzamiento de los liberales contra un gobierno que, según ellos, había burlado la legalidad. Esa "guerrita de agosto de 1906" le cuesta a Juan Gualberto ir otra vez a la cárcel. De todos es sabido cómo terminó ese ominoso episodio. Por segunda vez los Estados Unidos intervinieron en Cuba. Sólo el propósito de terminar cuanto antes con la presencia del extranjero en el país pudo llevar a Juan Gualberto a laborar, en calidad de Secretario, en el seno de la Comisión Consultiva creada por el interventor Mr. Charles Magoon. De todos modos, pone en evidencia su talla de estadista, contribuyendo decisivamente a la redacción de un vasto cuerpo de leyes esenciales para la buena marcha de la Nación: la Ley Electoral, la Municipal, la Provincial, la Orgánica del Poder Ejecutivo y la del Poder Judicial, la del Servicio Civil y otras.

Restablecido el ritmo constitucional, Juan Gualberto continúa haciendo política activa. Aunque Liberal, censura abiertamente la gestión administrativa de José Miguel Gómez, quien sigue las huellas corrompidas de la administración de Mr. Magoon y gobierna bajo el cínico lema de "Tiburón se baña, pero salpica". Rechazando las carantoñas miguelistas, Juan Gualberto combate la inmoralidad reinante, el sistema del derroche, el "chivo" y la "botella". Porque en el fondo de su conciencia flamea la convicción de que la virtud del gobierno cubano es un factor importante en la lucha contra la ingerencia extraña.

En las elecciones de 1912 apoya a su viejo amigo Alfredo Zayas. Pierde. José Miguel, demostrando que no hay peor cuña que la del mismo palo, apoya desde el poder al adversario conservador, Mario García Menocal. En 1914 Juan Gualberto es electo Representante a la Cámara. En 1916 asciende al Senado. Sigue haciendo, empero, su misma vida modesta y pulcra de siempre.

Por entonces rebrota la vieja dolencia reeleccionista. Juan Gualberto la combate con rigor, enarbolando como lema la frase de Máximo Gómez: "La reelección es un crimen." El alzamiento de los liberales contra el despojo electoral de 1916 lo sorprende. Para él era extemporáneo. Hubiera preferido esperar, porque el gobierno de Menocal era legal hasta el 20 de mayo de 1917. Y porque cree mejor agotar todos los recursos que la ley franquea antes que lanzar de nuevo al país a la tembladera de la violencia. Por otra parte, resulta repugnante para su antiplatismo sostenido la triste solicitud de intervención que el Partido Liberal planteó al gobierno de Washington por medio de Orestes Ferrara y Raimundo Cabrera. Pese a su postura legalista y a su posición de senador, la vorágine provocada por "La Chambelona" -como se le llamaba popularmente al alzamiento- dos veces lo lleva a la cárcel, aunque por poco tiempo.

En 1920 el Partido Liberal se dividió. Juan Gualberto, "más zayista que Zayas", funda el Partido Popular. Y logra, maniobrando con habilidad que tal vez linde con el oportunismo, una coalición con los conservadores. Se integra así la Liga Nacional, que postuló a Zayas y lo sacó electo en los comicios de noviembre.

Poco antes había iniciado su gestión proconsular en Cuba, desde la cubierta del buque de guerra norteamericano *Minnesota*, Mr. Enoch Crowder. Juan Gualberto es uno de los pocos líderes criollos que se niega a subir la famosa escalerilla del barco para rendir pleitesía al "enviado personal del Presidente de los Estados Unidos". Desde el Senado denuncia la ingerencia norteña. Y el lamentable sometimiento de los políticos cubanos a los mandatos de la nueva metrópoli. Alza su voz admonitoria para clamar: "...Nosotros cada vez más estamos volviendo la vista al extranjero y lo estamos llamando. ¡No! Bórrese la Enmienda Platt de la Constitución, aunque al día siguiente nos estemos matando para que Menocal, o José Miguel, o Zayas, o cualquiera otro sea Presidente. No importa la sangre que cueste, pues la sangre es más pura que el fango; y el fango es lo que estamos removiendo cuando se clama por el extranjero para enseñarle nuestras lacerias y para pedirle nos defienda lo que estamos nosotros en la obligación de defender."

En 1922 las extralimitaciones de Crowder vuelven a provocar un debate en el Senado de la República. Dolz ha defendido la ingerencia. "Es triste -viene a decir- pero nos la merecemos." Juan Gualberto sale a la defensa de Cuba. La ingerencia extraña -sostiene- nunca es merecida. Resulta en todo caso, una fatalidad que los pueblos débiles se ven obligados a sufrir. Los males criollos, que se toman como pretexto para justificar el ingerencismo, son generales a todos los países. Podemos encontrarlos también en los Estados Unidos. ¿No hay allí Gobernadores, Alcaldes y otros funcionarios que se alzan con los fondos confiados a su custodia? Cuando los políticos norteños nos exigen -so pena de intervención- que seamos unos arcángeles, lo hacen para justificar su afán imperial, pues los arcángeles no transitan por la tierra. Ni siquiera en los Estados Unidos. Si la vecindad otorgara a Norteamérica el derecho a velar por nuestra moral pública, la vecindad nos otorgaría a nosotros también el derecho de velar por la rectitud ciudadana de los Estados Unidos que, ciertamente, deja bastante que desear. Nada, nada justifica la presencia del procónsul en La Habana. Ni siquiera la Enmienda Platt. "La ingerencia que Cuba está sufriendo -dice Juan Gualberto- no está amparada por la Enmienda Platt, que establece la intervención para proteger la independencia, pero no para interferir en los asuntos domésticos del país."

Es su postura de siempre. Ayer contra la metrópoli española. Ahora contra la norteamericana. Su ideal no ha cambiado, no cambiará en ningún instante de su larga y fecunda vida: independencia total, independencia plena, independencia absoluta.

Un Apóstol de la Igualdad

Por razones de origen social y de formación ideológica, Juan Gualberto Gómez es antiesclavista entusiasta y decidido. Buena parte de su producción periodística inicial está dedicada a la lucha por erradicar de Cuba la nefanda institución. Ya hemos visto que en 1882 trabajaba junto a Rafael María de Labra en sus dos periódicos "El Abolicionista" y "La Tribuna", haciendo campaña por la supresión del patronato. Pone así sus raras dotes de polemista al servicio de una causa ilustre. Y lo mismo destruye el argumento circunstancial

214

y puramente táctico de la prensa enemiga, que los intentos de revestir el prejuicio con falsos ropajes doctrinales. Lo mismo desnuda la última maniobra de los partidarios del status quo, que aborda el tema de la actitud del cristianismo ante la esclavitud.

Como Secretario de la Sociedad Abolicionista de Madrid participa, a fines de 1883, en un mitin de masas. Su discurso es sustancioso. Denuncia la situación de los libertos, infamados por el cepo, amenazados constantemente por la "ley de vagos". Sostiene la necesidad de suprimir inmdiatamente el patronato. Y lo hace -dice- en aras de la fraternidad cubana. El ama a su raza, pero también a su país. Para él es imposible separar esos dos amores. Entre ellos no hay contradicción sino íntima correspondencia, profunda simbiosis. No pueden los negros ser felices si los cubanos son desdichados, porque el negro es ante todo cubano. Por eso él, que venera a Toussaint L'Ouverture, no lo presenta a sus amigos como un ejemplo. El camino de Cuba no es el de Haití. En Cuba no puede haber guerra de razas. La abolición definitiva de la esclavitud, obtenida por el esfuerzo conjunto de blancos y negros, cegará la brecha que separa los dos colores de la baraja criolla. Termina con un llamamiento saturado de esperanza: "Trabajemos los hombres blancos y de color unidos por la libertad del hombre negro, no únicamente por empeño de conciencia, sino porque esa libertad, lograda con el concurso y el esfuerzo de los hombres blancos, además de iniciar la era de las reparaciones, marcará la hora bendita de la concordia entre los que tuvieron la desgracia de ser tiranos señores y los que sufrieron la desdicha de ser siervos envilecidos."

Circunstancias históricas de muy variado peso -económicas unas, políticas otras- conducen a la liquidación del patronato y, por ende, de la esclavitud en la Isla de Cuba. Juan Gualberto tiene la satisfacción de estar presente cuando tras los discursos de Labra y Figueroa, las Cortes toman el acuerdo abolicionista decisivo y final en 1886. El curtido "reportér" sale a redactar su crónica del trascendental suceso para el periódico "La Lucha" con los ojos llenos de lágrimas.

Un gran paso de avance significaba esa victoria popular para la causa de la igualdad. Pero obviamente quedaba mucho por hacer. Ya no había esclavos en Cuba. Pero las viejas taras discriminativas -las "preocupaciones", como entonces se decía- seguían humillando a los cubanos de color, envenenando el ambiente patrio y levantando obstáculos a la plena integración nacional. Hay que batallar sin descanso, sostiene Juan Gualberto, por la igualdad absoluta entre todos los cubanos. El negro criollo, por su parte, debe unirse para reclamar sus derechos. Sólo la acción colectiva, enérgica pero ecuánime, puede liquidar los rezagos esclavistas aun vigentes en la ley y la costumbre.

Ahora bien, Juan Gualberto no olvida nunca que el problema negro está indisolublemente ligado al problema nacional. La defensa de la igualdad racial no puede producir en Cuba un partido exclusivamente de negros. La cuestión no es aquí de separación, sino por el contrario de identificación. "Jamás nos separemos -escribe- de los blancos de Cuba. Aunque ellos no siempre se hayan conducido con nosotros como hermanos, lo son en realidad y ni ellos ni nosotros podemos deshacer lo que la naturaleza ha formado. Nosotros ya no somos africanos como ellos tampoco son europeos. La irresistible influencia del medio se va ejerciendo sobre unos y otros y obra con inevitable resultado la ley de la adaptación. Somos cubanos." El concepto de transculturación, que todavía no había sido creado por la Antropología, estaba ya en cierne en la mente de Juan Gualberto con todo su hondo sentido político y su profundo dinamismo histórico.

Juan Gualberto funde los dos credos. No es posible ser igualitarista sin ser independentista. No es posible ser independentista sin ser igualitarista. "Mi vida -escribe- pertenece a mi patria y a mi raza. La una no ha de pedirme nada que contraríe a la otra; porque tengo la suerte de encontrar una fórmula que ampara perfectamente los intereses y aspiraciones de ambas. Esta fórmula es la que trajo al mundo civilizado la Revolución francesa: libertad para todos los hombres, igualdad entre todos los seres, fraternidad entre todos los corazones."

Frente al criterio *activista* de Juan Gualberto, partidario de unir a los negros para la defensa de su interés, se alzó pronto, a fines del siglo pasado, la tesis *pasivista*, encarnada en la recia personalidad de otro eminente líder de la raza negra: Martín Morúa Delgado. Se inicia así una pugna que cada día se hace más tensa y virulenta, hasta degenerar en profunda e irreconciliable enemistad. Era un encuentro entre dos caracteres opuestos: Morúa, flemático, reposado, sereno, frío, aunque indoblegable en la defensa de sus principios; Juan Gualberto, sanguíneo, fogoso, apasionado, aunque muy sereno en la aplicación de sus consignas. Era, además, un encuentro entre dos filosofías políticas: Morúa, básicamente conservador; Juan Gualberto esencialmente liberal. Para Morúa, los negros no tenían en el fondo intereses propios que defender separadamente de los demás cubanos. Hacerlo significaba levantar sospechas entre los blancos, dividir el país. Juan Gualberto va por el camino opuesto. La concentración de la masa negra para la pelea por sus derechos no ha de traer en Cuba la guerra de razas, dice. No es cierto que esa unión defensiva de los discriminados divida a la nación. No se llama a un elemento que ya está unido en la igualdad a otro para constituirlo separadamente; sino que a un elemento ya separado de siglos por la desigualdad (y precisamente por ser el que más sufre con la separación) se le dice: "Vamos a trabajar para que desaparezcan los obstáculos que se oponen a la unión. Vamos a robustecer nuestras aspiraciones con la mayor suma posible de concursos, para ganar la batalla de la igualdad y cimentar sobre ella la concordia". *Igualdad y unión nacional*, esa era su consigna.

Por eso su prédica igualitaria tenía un profundo contenido patriótico y revolucionario. En el fondo de su conciencia, Juan Gualberto sabía que bajo el régimen colonial español, el negro cubano no podría alcanzar nunca un puesto decoroso bajo el sol. El miraba hacia la independencia como la única salida para toda la nación: para el blanco que sufría esclavitud política y para el negro que sufría esclavitud política y racial. Juntos, blancos y negros se salvaban o se hundían. Pero sólo si los negros adquirían conciencia de estas grandes verdades podrían desempeñar el rol histórico que les estaba destinado. Y sólo uniéndose podrían adquirir esa conciencia indispensable.

Para eso crea él un poderoso instrumento de lucha: el Directorio Central de las Sociedades de Color. Bajo la inspiración de Gómez, el Directorio demanda una decorosa equiparación de las razas en el trato público. Moviliza la opinión. Defiende y remueve. Agita y ataca. Un día llegará en que sus cuadros, unificados para la acción antidiscriminativa legal y abierta, bajo ese manto conspiren secretamente por la independencia del país.

A partir de 1879 el gobierno español se vio obligado a hacer una serie de concesiones al movimiento igualitarista. Se abren a todas las razas las escuelas municipales y estatales. Se ordena castigar a quienes se negaran a servir a los negros en los establecimientos públicos. Se permite a la gente "de color" viajar en los coches de primera en los trenes. Se abren los parques y jardines a toda la población... El Directorio dedica sus esfuerzos a garantizar que estas medidas no fuesen burladas. Ya hemos visto con cuanto ingenio se logró integrar las salas de los teatros de La Habana. Y en 1893 se consiguió que el Gobernador de la Isla ordenara el cumplimiento de las resoluciones antidiscriminativas de 1885 y 1887, a las que muchas autoridades del país no prestaban la menor atención.

Eran victorias importantes. Pero algunos de los emigrados revolucionarios comienzan a preguntarse si España logrará con ellas atraerse a las masas negras. José Martí en un famoso artículo *El Plato de Lentejas* ofrece una clara y breve respuesta: ¡*no*! Las masas negras de Cuba saben muy bien que todos sus progresos están íntimamente vinculados a la acción del movimiento independentista. Sin el Grito de Yara no hubiera habido abolición de la esclavitud. Sin independencia no es posible acercarse a la plena igualdad. No hay concesión española capaz de alejar al negro del campo mambí. Estas victorias parciales, lejos de entibiarle su fervor separatista, habrán de fortalecer su ánimo combatiente. Cuando suene la hora -profetiza Martí- el negro cubano estará abrazado a la bandera de la Revolución como a una madre. Juan Gualberto suscribe plenamente esa opinión.

Guerra de Indepedencia (1895-1898). Guerra Hispano-cubana-americana (1898). Intervención extranjera (1898-1902). República plattizada. La situacion del país, lejos de resolverse, se complica. La Revolución ha quedado casi toda en la cáscara. El frente único de fuerzas sociales y políticas que la dirigió fue arrollado por el interventor foráneo.

Wood entrega el poder a "gente segura" para Washington y para los intereses económicos foráneos e internos que ahora rigen el país. Toma las riendas de la nación una alianza integrada por los sectores más moderados del campo mambí, los autonomistas y hasta algunos ex-integristas convictos y confesos. En el primer gabinete de Tomás Estrada Palma, cuatro de los seis Secretarios de Despacho eran autonomistas de pura cepa, firmantes todos del famoso manifiesto anticubano de 4 de abril de 1895. El dato habla por sí solo.

Las masas negras que esperaban ver realizado en la República el programa del Partido Revolucionario Cubano y obtener así su ansiada reivindicación de hombres libres -causa por la que tanta sangre de negros se había vertido- se encontraban de pronto con que muchas de las viejas formas discriminativas se mantenían, casi como en la Colonia. Las "preocupaciones" persistían. Los hombres "de color" seguían ocupando el último puesto en la escala económica. No se les dio tierras. No se les abrieron nuevas fuentes de empleo. Se les cerraron, en buena parte, las puertas de la burocracia oficial y hasta de los cargos representativos. El problema negro quedaba en pie. [2]

Para hacer frente a esta situación, tres tendencias surgieron en el seno de la gente cubana "de color". Una, encabezada por Martín Morúa Delgado, que quería confiar la solución del conflicto a la lenta superación individual del negro en los campos de la cultura y la economía y predicaba el trabajo personal de los líderes "de color" en el seno de los

---

[2] Un estudio detallado de la situación del negro cubano en los últimos tiempos de la Colonia y los primeros de la República puede encontrarse en la obra de Jorge Castellanos e Isabel Castellanos *Cultura Afrocubana*, vol. 2, Capítulo III, pp. 235-327.

partidos existentes. Otra, representada por Evaristo Estenoz, de posición extremista, lenguaje inflamado y actitud desesperada, que culmina en la creación del Partido Independiente de Color, constituído únicamente por negros, bárbaramente aplastado en la matanza criminal de mayo de 1912. Y la tercera, lidereada por Juan Gualberto, que se mantiene fiel a sus antiguos postulados del Directorio: ni pasividad ni separación; acción colectiva, continuada, perseverante, sin estridencias innecesarias, en defensa de los intereses económicos, políticos y sociales del negro; lucha por conseguir la erradicación de las injusticias y pretericiones raciales por medio de leyes que convirtiesen en realidad el programa sagrado de la Revolución. Como ayer, Juan Gualberto mantiene en alto la bandera de *igualdad y unión.*

Cierto que su formación ideológica le impide contemplar el asunto en toda su proyección. Y que no logró medirle al problema toda su honda raíz económica. Pero no menos cierto es que -aunque con limitaciones- ya él entrevió el papel que desempeñaba aquí la economía, cuando en 1915 expresó: "Se nos dice: instrúyete, házte culto, ve al Instituto, a la Universidad, adquiere decoro; y después se nos dice también: sigue viviendo en el bohío inmundo, en el cuarto del solar, en el latifundio, porque si te unes para mejorar tu situación sospechamos de tus propósitos y tememos que en tí viva el espíritu de raza."

Y es verdad también que en el primer cuarto de este siglo *nadie* supera a Juan Gualberto Gómez en el arte fecundo de hermanar la lucha por la igualdad y la de la unión nacional. Su voz de combatiente se alzó no sólo para denostar a los discriminadores, sino también para condenar a quienes en el seno de la raza perseguida se dejaban arrastrar al terreno de infantiles radicalismos. De su pluma son estas recias

221

palabras: "Por el camino que siguen los que gritan 'yo soy racista' no se consigue nada más que perturbar a la raza de color, alarmar necia y estúpidamente a las demás clases y pretender llevar a la práctica algo que por ser exclusivo resulta repugnante y odioso."

El sostenía que los discriminados no podían responder a los discriminadores con una nueva y absurda discriminación. Por eso predicaba la necesidad de que las instituciones de individuos de color permitieran el ingreso de personas blancas en su seno. Siempre fiel a sí mismo, el gran patriota que fue Juan Gualberto Gómez mantuvo en todo tiempo en su escudo ciudadano la misma consigna: *igualdad y unión, unión y concordia.* Muy justamente entendía que sin igualdad, unión y concordia no podía existir sobre el suelo de su Isla una patria libre, justa, independiente y soberana.

Bien puede decirse que ese programa, aceptado y adoptado por la mayoría de los negros cubanos, fue un factor importante en el continuado progreso cultural, económico y social de las masas negras cubanas de 1902 en adelante. Venciendo, paso a paso, las lacras de un terrible pasado, merced a un esfuerzo heroico, gracias a la acción unida de las dos razas del país, los negros han mejorado notablemente en la era republicana sus condiciones de existencia. Y aunque todavía queda mucho por hacer, si seguimos avanzando por la ruta marcada por Juan Gualberto, el futuro puede abordarse con seguro optimismo.

Un Viejo Liberal

Todo lo que fue Juan Gualberto Gómez, sus grandes aciertos y sus inescapables limitaciones, resultan consecuencia inevitable de su credo filosófico-político: el liberalismo décimonono. Se asimiló él esa doctrina en sus días juveniles en la Francia de Thiers. Fue siempre fiel a ella.

El liberalismo, como es bien sabido, constituye un complejo tejido doctrinal, que se ramifica hasta penetrar en todos los rincones de la vida humana. Predica la absoluta libertad individual. La eliminación de toda traba a la libre expresión del pensamiento. La supresión de toda interferencia en la vida religiosa o económica del hombre. Su esencia filosófica es la tesis del individualismo. Su ética se rige por los cánones de la conciencia individual. Es optimista: cree que la investigación racional será capaz de resolver todos los misterios de la naturaleza convirtiendo así al hombre en amo del universo. En religión predica la tolerancia y la libertad de credos con independencia del poder estatal. Su fe política es el reinado de la ley y la doctrina del *laissez-faire*. Su programa económico se ciñe al ideal manchesteriano de libertad de comercio, libre empresa y sistema competitivo. Su base legal no es otra que la libertad de contratación y la santidad de la propiedad privada. Su expresión literaria es el romanticismo. Su último sueño: el progreso continuo e ilimitado en un mundo de paz y armonía.

Ante la crisis provocada por la Primera Guerra Mundial y sus secuelas económicas y políticas este credo se reforma, se revisa, se perfecciona, defendiéndose de los embates del anarquismo, del socialismo, del comunismo. Juan Gualberto no se da por enterado de esos cambios. El liberalismo decimonono le sirvió de brújula en toda su larga carrera política, hasta su muerte en 1933. En su labor peridística, en la Asamblea de Santa Cruz, en la Convención Constituyente, en la Comisión Consultiva, en la Cámara de Representantes y en el Senado de la República, Juan Gualberto Gómez evidenció siempre la coherencia de su posicion doctrinal, la firmeza de sus convicciones filosófico-políticas.

Quizás le faltó flexibilidad en sus últimos años. Pero su liberalismo de pura cepa lo guió en muchas de sus mejores contribuciones. Es ése el motor que lo impulsa a proponer, defender y conseguir que se apruebe en la Constituyente la libre profesión de las religiones y el libre ejercicio de los cultos, el establecimiento de la enseñanza libre, el sufragio universal. Juan Gualberto se manifestó, además, en favor del sistema parlamentario. Y cuando su iniciativa fue rechazada, propuso ciertas formas intermedias, que recuerdan el semi-parlamentarismo de la Constitución de 1940.

Hija también de su fe liberal es su acendrada postura civilista. Los últimos días de su vida ha de emplearlos en la lucha contra la dictadura militar de Gerardo Machado. Desde las páginas de su periódico "Patria", su prédica civilista es incansable. Cuando en Columbia se celebra un banquete en honor del Presidente electo y éste promete no utilizar el Ejército en las contiendas políticas, Juan Gualberto alza su voz, para exclamar: "Hay que pedir a Dios que le dé toda la fuerza de voluntad necesaria para cumplir fielmente tan elevada promesa." Y agrega que en una República democrática los poderes públicos nacen enfermos cuando no son el producto exacto de la voluntad popular, libremente expresada en las urnas. Cuando no impera la mayoría -dice- el Gobierno surge como una imposición, carece de fuerza moral para subsistir, tiene que apelar a procedimientos tortuosos para mantenerse, porque carece del apoyo del país.

Juan Gualberto se convierte en censor objetivo y sereno de la acción del gobierno de Machado, señalando sus errores, condenando sus progresivas desorbitaciones. Ante ellas, su voz se hace, a la vez, protesta y advertencia. Les recuerda a los gobernantes desaforados que el pueblo de Cuba "parece inconsciente y frívolo en los días bonancibles, pero sabe en las horas serias y en los momentos graves colocarse a la altura de las exigencias de su decoro y su seguridad..."

Pese a los achaques propios de su avanzada edad, Juan Gualberto, político siempre, periodista siempre, se mantiene en el foco de la lucha pública. Combate la burda reforma de la Constitución propugnada e impuesta por Machado. Ataca la reelección y la prórroga de poderes, así como el uso de la violencia para imponerlas, a contrapelo de la opinión del país. Funda el Partido Unión Nacionalista junto con Carlos Mendieta y Cosme de la Torriente. Escribe. Pronuncia discursos. Trabaja sin cesar por el retorno de la democracia secuestrada. Nunca pierde la fe. Nunca desmaya. Las reservas del pueblo de Cuba -dice- no se agotan jamás. El panorama podrá parecer sombrío. Pero la luz no ha muerto. Y brillará. Tarde o temprano brillará. Es el optimismo indestructible del viejo liberal: bello legado que las generaciones actuales deben agradecer a nuestros próceres, particularmente en este trágico minuto patrio en que la fe salvadora es tan necesaria.[3]

En 1932 Juan Gualberto tiene 78 años. Pero todavía el gran polemista goza de plena lucidez. Orestes Ferrara lo invita a una controversia. Se trata de "buscar soluciones a la grave situación cubana." Eran aquellos, días oscuros. La dictadura ensangretaba brutalmente el país. Una verdadera guerra civil encendía de odios y rencores el alma nacional. Juan Gualberto acepta la invitación. En sereno pero firmísimo len-

---

[3] Recuérdese que esta conferencia se dictó exactamente dos años después del golpe de estado militar de Fulgencio Batista. Y que para combatir a ese gobierno ilegal en público había que valerse del lenguaje esópico.

guaje pone los puntos sobre las íes. Ofrece toda una serie de salidas políticas,logrando romper hábilmente las barreras de la censura. Sus cartas a Ferrara estremecen al país. Tanto, que el destacado jefe machadista decide terminar el diálogo, porque este "pone en entredicho la autoridad del gobierno". Juan Gualberto responde con una última carta que acaba con este párrafo de alto estilo polémico: "Yo respeto -le dice a Ferrara- los motivos que usted expone, y me abstengo de juzgarlos, lamentando tan sólo que vivamos en una época en que para resguardar el 'prestigio' de un gobierno, no se puedan examinar libremente, entre cubanos, las soluciones que pudieran devolver a la patria una vida normal, civilizada y libre."

Es su último combate. Y su última victoria. Pocos meses después cae gravemente enfermo. Pero ni aun entonces se alejan de su mente los ideales de siempre. El 4 de marzo de 1933, casi agonizante, se le oye exclamar: "¡Cuba se salva! ¡Cuba se salva!" Y al día siguiente, después de invocar los nombres amigos de Mendieta, Hevia y Méndez Peñate, murmura: "¡Martí! ¡Martí! ¡Cuba!" Y cierra los ojos para siempre. El había escrito en su juventud: "El amor a la patria es un gozo que el cielo nos ha prodigado a todos los seres de la creación." Cuba fue su gran amor. Cuba su más alta pasión. A ella dedicó su vida. Y fue su imagen la última que encendió su corazón.

Hoy, a más de veinte años de distancia, todavía nos alienta y esperanza ese mensaje de optimismo y de fe de sus últimos momentos. Todavía resuena, con timbre de plena actualidad, su palabra de luz: "¡Cuba se salva! ¡Cuba se salva!" Sí, un país que da hombres como José Martí, Antonio Maceo y Juan Gualberto Gómez no puede perderse. Sí: Cuba se salvará.

INDICE

COLECCIÓN CUBA Y SUS JUECES
(libros de historia y política publicados por EDICIONES UNIVERSAL):